KB130540

즐거운 그림책 쓰기

그림책 작가를 위한 창작입문서

| 현은자 · 최 경 · 윤아해 공저 |

학지사

머리말

그림책을 좋아하는 사람들이 공통적으로 갖는 바람이 있다면, 자신의 작품을 써 보는 것이다. 나는 '아동문학' 강의 시간에 그림책의 언어를 가르치고 좋은 그림책을 소개하면서 창작도 해보라고 학생들을 격려한다. 우리나라 그림책 연구의 수준이 높아지려면 결국 우리 작가가 쓴 좋은 그림책이 많아져야 한다는 신념 때문이다. 그래서 몇 년 전부터 학부에 '그림책 창작' 교과목을 신설하여 그림책의 글쓰기를 강의해 오고 있다.

아동학과에서 처음 열리는 창작 과목인 만큼 강의도 보람 있고 학생들도 열정적으로 수업에 참여하고 있으나, 교재로 쓸 만한 그림책 쓰기 안내서가 없다는 점이 항상 아쉬웠다. 1990년대부터 국내에서도 그림책 비평서나 그림책 연구서는 꽤 많이 출판되었으나, 그림책 창작에 관한 것은 거의 없었고(우리가 이 책을 집필하는 동안 내게 이상희 씨의 『그림책 쓰기』가 증정본으로 배달되었다), 다만 오래전에 번역된 알렌 로버츠의 『그림책 쓰는 법』이 있을 뿐이었다. 그래서 부족하나마 그림책 작가가 되기를 원하는 사람에게 도움을 줄 수 있기를 바라면서 이 책의 집필을 생각하게 되었다.

이 작업을 위해 그림책 작가로 활동하고 있는 최경과 윤아해가 큰 도움을 주었다. 두 사람은 50여 권의 그림책에 글을 써 온 글작가이며, 성균관대학교 생활과학연구소에서 몇 년째 그림책 창작 과목을 맡아 작가 지망생들을 가르친 경험이 풍부하다. 우리는 이 책을 쓰기 위해 외국 작가들의 창작 노트와 그림책 창작에 관한 원서와 글을 읽으며 아이디어를 얻었고, 학부와 생활과학연구소에서 그림책 창작 수업을 진행하며 효과적인 교수방법을 찾기 위해 노력하였다.

대학에서 그림책 창작 과목을 가르치면서 발견하게 된 고무적인 사실은, 대학생들도 잘 가르치기만 하면 훌륭한 글을 쓸 수 있다는 것이었다. 또한 미술을 전공하는 학생과 그렇지 않은 학생들의 작품을 비교해 보는 것도 흥미로웠다. 그림책의 일러스트레이션을 본격적으로 다루지 않음에도 불구하고 내 강의에는 예술학부 학생들도 종종 들어오곤 한다. 나는 처음에 이 학생들에게 큰 기대를 하곤 했다. 글과 그림의 창작 과정을 비교해 볼 때 아무래도 글보다는 그림 그리기가 더 특별한 재능을 요구할 것이라는 선입견이 작용해서였다. 그러나 예술적으로 감각이 있는 미술 전공 학생들보다 이전에 그림책에 대해 많은 경험이 있는 아동학과 학생들에게서 더 좋은 그림책 글이 나오는 것을 보았다. 물론 개인적인 차이가 있어서 미술을 전공한 학생 중에서도 좋은 그림책 원고를 쓰는 경우가 있었지만, 비율을 고려한다면 아동학과 학생들이 그림책에 더 적합한 원고를 쓰는 경우가 더 많았다. 그 이유는 아마도 아동학과 학생들이 전공 수업을 통해 아동의 발달에 대한 지식을 갖게 되고, 많은 그림책을 보면서 좋은 이야기에 대한 감각을 익혀서인 것 같았다. 이런 학생들은 자신이 그림을 직접 그리지는 못하더라도 '더미북' 을 만들 때 여러 출처에서 글의 분위기에 맞는 시각 자료를 찾아내곤 하였다.

이 책은 그림책을 좋아하고 그림책의 글을 써 보고 싶은 그림책 작가 지망생들에게 도움을 주고자 쓰였다. 그림책 글을 처음 쓰고자 하는 사람은 기존에 나와 있는 그림책과 비슷하게 쓰기 시작한다. 그러다가 캐릭터나 배경, 플롯, 문체 등 그림책 글에 필요한 문학적 요소들을 이해하게 되면 좀 더 완성도 있는 글을 쓸 수 있게 된다. 이 책의 각 장에 제시된 연습문제는 그들이 글을 쓰는 과정에서 보이는 시행착오들을 줄여 주고, 그들 각자가 갖고 있는 창의적인 아이디어들을 극대화시킬 수 있도록 고안된 것이다. 본문을 꼼꼼히 읽어 보고 연습문제를 자신의 작품에 적용하다 보면 더 좋은 작품을 만들어 갈 수 있을 것이다.

그러나 이 책이 작가 지망생들이 그림책의 글을 쓰면서 만나게 되는 모든 문제를 해결해 주지는 못할 것이다. 좋은 글은 많은 생각과 오랜 고민과 수많은 연습에서 나오기 때문이다. 다만 우리의 작업이 그들의 숨겨진 재능을 꽃피우고 어린이독자에게 즐거움을 주는 데 조금이라도 기여를 할 수 있기를 바랄 뿐이다. 마지막으로, 그림책 창작 수업에서 자신의 어린 시절의 경험과 현재의 삶을 기꺼이 드러내고 작품으로 완성해 나갔던 학생들을 기억하며 그들에게 감사한다.

아울러 자신의 작업과정과 더미를 제공해 준 박연철 작가와 기꺼이 인터뷰에 응해 준 유다정 작가, 이민희 작가, 문예원의 오정옥 원장, 햇살과 나무꾼의 정소영 님께 감사의 마음을 전한다.

2012년 9월
저자들을 대표하여
현은자

차 례

■ 머리말 • 3

1. 왜 그림책을 쓰려고 하는가 13

자신과 세상에 대한 물음, 그것이 글쓰기의 시작이다.

2. 아이디어는 어디서 얻을 것인가 19

영감은 하늘에서 뚝 떨어지는 것이 아니다.
다양한 자극을 통해 글쓰기의 아이디어를 얻을 수 있다.

1) 메모에서 • 21
2) 자신의 경험에서 • 22
3) 다른 사람의 경험에서 • 23
4) 대중매체에서 • 24
5) 브레인스토밍을 통해서 • 25
6) 도서관에서 • 26
7) 전문가를 통해서 • 27
8) 어린이 관찰을 통해서 • 28

3. 어떤 인물이 매력적인가 29

캐릭터들은 각자 개성을 지니고 있어야 하며
실제 존재하는 것처럼 생동감이 있어야 한다.

1) 평범하고 일상적인 캐릭터 • 30
2) 욕구와 결핍을 표현하는 캐릭터 • 35
3) 독특하고 개성 넘치는 캐릭터 • 39
4) 이상적인 성품을 지닌 캐릭터 • 47
5) 작품 안에서 대비되는 캐릭터 • 49

4. 누구의 목소리로 말할 것인가 59

이야기를 전달하는 목소리는 문학을 색다르게 만드는 요소다.
목소리는 책의 분위기를 좌우하며, 문학적으로 새로운 시도가 가능하기 때문이다.

1) 전지적 작가의 목소리로 말하기 • 60
2) 작가가 중심 캐릭터에게 말 걸기 • 64
3) 관찰자가 말하기 • 65
4) 캐릭터 자신이 말하기 • 68
5) 캐릭터 간의 대화로만 말하기 • 72
6) 캐릭터의 목소리를 다른 형식에 담아 보기 • 74
7) 사물의 목소리로 말하기 • 78

5. 새로운 시공간을 어떻게 창조할 것인가 89

캐릭터를 살아 숨 쉬게 하는 것이 시간과 공간이다. 캐릭터가 어느 시간과 장소에 있어야 가장 빛나는 존재가 될까? 작가는 끊임없이 도전하며 찾아야 할 것이다.

1) 시간이 만드는 매력 • 90
2) 공간이 만드는 매력 • 96

6. 어떻게 이야기를 이끌어 갈 것인가 105

글쓰기는 건축과 같다. 차근차근 설계해 보고 한층 한층 올려 보자. 즐겁게 쓰다 보면 작가에게도 재미있고 독자에게도 재미있는 책이 될 것이다.

1) 과제가 시작되는 도입부 • 106
2) 과제를 펼쳐 가는 중반부 • 109
3) 과제의 산에 올라선 클라이맥스 • 118
4) 아무도 예상하지 못한 신선한 마무리 • 120

7. 어떠한 형식에 이야기를 담을 것인가 127

모든 이야기에는 이야기를 하나로 연결하는 논리적인 흐름과 순서가 있다.

1) 시간의 흐름 • 128
2) 공간의 이동 • 132
3) 비교와 대조 • 134

4) 글자나 숫자가 가진 규칙과 순서에 담기 • 136
5) 이야기 안에 이야기 넣기 • 138
6) 이야기 전체에 리듬감 주기 • 139
7) 원고 쓰는 형식 • 143

8. 독자의 눈과 마음을 사로잡는 제목은 무엇인가 149

그림책의 제목은 사람의 얼굴과 같다.

1) 간결하게 표현하기 • 150
2) 주인공의 특징이나 이름을 부각시키기 • 151
3) 질문을 통해 호기심을 유발하기 • 152
4) 일반적이지 않은 정의로 호기심을 유발하기 • 153
5) 극단적인 제목을 통해 궁금증 유발하기 • 154
6) 역설적인 제목 붙이기 • 156
7) 비현실적인 제목 붙이기 • 157
8) 독자의 요구를 고려한 제목 짓기 • 158

9. 손톱그림은 왜 필요한가 159

손톱그림은 지금까지 해 온 그림책 작업을 시각화하는 과정이다.

10. 견본책은 어떻게 만드는가 167

견본책을 만들어보면 판형이 적합한지 책장을 넘길 때
이야기의 흐름에 문제가 없는지 확인해 볼 수 있다.

11. 독자의 요구를 어떻게 반영할 것인가 171

글을 쓰다 보면 자기 생각에 몰입하게 되어 어린이독자의 입장을
염두에 두지 못할 때가 있다. 어린이들의 의견을 반영하여 더 완성도 있는 책을 만들자.

12. 그림책 출판에 필요한 것은 무엇인가 175

기획서는 상품을 파는 상인이 자신의 상품을 광고하는 것처럼
작가가 쓴 작품이 얼마나 경쟁력을 갖추었는지 알려 주는 것이다.

1) 기획서 쓰기 • 176
2) 그림책 출판사 찾기 • 181
3) 계약서 쓰기 • 182

13. 그림책 출간 후 무엇을 할 것인가 185

작품을 쓰면서 겪었던 모든 일들은 하나도 버릴 것이 없다. 잘 정리하고 보관해 두면 한 작가의 산 역사가 된다.

1) 인터뷰와 강연하기 • 186
2) 동인활동 • 190
3) 작업 공간 • 191
4) 들을 만한 그림책 글쓰기 강좌 • 192
5) 기획 집단 활동 • 193
6) 작가 사인회 • 194

■ 그림책 목록 • 195

1

왜 그림책을 쓰려고 하는가

자신과 세상에 대한 물음, 그것이 글쓰기의 시작이다.

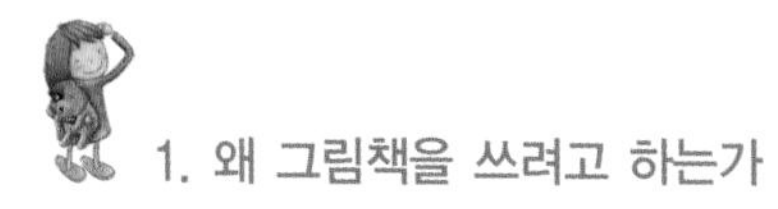

1. 왜 그림책을 쓰려고 하는가

"당신은 왜 많은 종류의 글 중에서 그림책을 쓰려고 하는가?"

그림책을 쓰려고 하는 사람은 대부분 글쓰기를 좋아하고 무엇보다 그림책을 좋아하는 사람들이다. 어느 그림책이든지 그림책에 마음을 빼앗겨 본 사람이라면 그림책 글쓰기에 도전해 보고 싶어 한다. 그러나 이에 앞서 우리가 고민해 보아야 할 점이 있다. "당신은 왜 글을 쓰려고 하는가?" 다. 글을 쓰고자 하는 사람이라면 앞의 질문에 대부분 "글을 쓰고 싶어서" 라고 대답한다. 그러나 글을 쓰고 싶어 하는 사람이 모두 글을 잘 쓰는 것은 아니다. 글쓰기는 좋아하지만, 글쓰기에 자신이 없는 사람들도 많다. 이 책은 글쓰기를 좋아해서 글을 쓰려고 하지만, 그림책 글쓰기에 자신이 없거나 그림책 글쓰기에 대해 더 깊이 알고자 하는 사람들에게 필요한 지침서다.

그러면 그림책 작가들이 글을 쓰는 가장 큰 동기는 무엇인가? 대부분은 자신의 이야기를 쓰고 싶어 하거나 자신을 표현하고자 글을 쓴다. 또한 어린이와 소통하고자 글을 쓰는 사람도 있다. 이런 사람은 대개 자녀가 있거나 자식은 아니더라도 주변에 이야기를 들려주고 싶은 어린이가 있다. 그들은 세상을 더 오래 살아온 사람으로서 어린이들에게 자신이 경험한 세상과 삶에 대해 이야기하고 싶어 한다. 어떤 입장에서 글을 쓰든지, 글쓰기는 세상과의 소통이다. 소통이 목적이 아니라면 혼자 일기를 쓰면 된다. 그러나 그림책의 글을 써서 출판하기를 원하는 작가라면 세상과 소통하고 싶은 욕구를 무시할 수 없다. 이제 자신이 하고 싶은 이야기가 무엇인지 곰곰이 생각해 보자.

어떤 글을 쓰고 싶은가? 무슨 이야기를 하고 싶은가?

처음 그림책의 글을 쓰는 작가들은 대부분 교훈적인 이야기에서 출발하거나 교육적인 이야기를 쓰는 경우가 많다. 세상을 먼저 살아본 사람으로서 우리는 당연히 어린이에게 세상에 대해 들려줄 것이 많다. 세상은 어떤 곳인지, 세상은 어떻게 살아야 하는지, 우리의 삶에서 가치 있는 것은 무엇인지…….

어린이들에게 교훈적이고 교육적인 이야기는 필요하다. 그림책 작가가 되려는 사람들을 가르쳐 보면 많은 사람들이 교훈적인 이야기에서 출발하는 경우가 있는데, 누군가를 가르치려고 쓰는 이야기에는 한계가 있다. 작가가 될 사람은 그것이 정말 자신이 하고 싶은 이야기인지 되짚어 보아야 한다. 그것을 고민하다 보면 이야기 속에는 가르쳐야 할 교훈이 자연스럽게 녹아 있게 된다. 예를 들어, 윌리엄 스타이그의 작품을 보면 의인화된 캐릭터를 통해 작고 보잘 것 없는 것의 가치, 가족의 소중함, 친구간의 우정을 이야기하고 있다. 이것이 우리가 아이들에게 진정 전달하고 싶은 교훈이 아닐까? 직접 드러내지 않아도 자연스럽게 배우게 되는 삶의 가치 말이다.

1-1. 『괴물들이 사는 나라』(모리스 샌닥 글 · 그림, 강무홍 옮김, 시공주니어, 2002). 어린이 주인공이 괴물나라에서 벌이는 상상의 세계가 표현되어 있다.

때로는 어린이들의 입장에서 그들 눈에 보이는 세상을 그릴 수도 있다. 예를 들어, 모리스 샌닥의 『괴물들이 사는 나라 *Where the Wild Things Are*』(2002)는 주인공 맥스의 놀고 싶은 욕구를 어린이의 입장에서 잘 보여 주고 있다.

1-2. 『알도』(존 버닝햄 글 · 그림, 이주령 옮김, 시공주니어, 1996). 외로운 소녀가 가상의 친구 토끼를 통해 치유되고 성장하는 이야기를 다루고 있다.

1-3. 『셜리야, 목욕은 이제 그만!』(존 버닝햄 글 · 그림, 최리을 옮김, 비룡소, 2004). 목욕탕에서 목욕하며 벌어지는 셜리의 상상과 모험을 다루고 있다.

존 버닝햄의 『알도 *Aldo*』(1996)에서는 소녀의 눈에만 보이는 가상의 토끼 친구와의 이야기를 다루고 있고, 『셜리야, 목욕은 이제 그만! *Time to get out of the bath, Shirley*』(2004)에서는 자신의 세계에 빠져 놀이에 집중하는 어린이의 모습을 보여 주고 있다.

그림책의 글을 쓰고 싶은가? 그렇다면 자신이 정말 하려고 하는 이야기가 무엇인지 집중해 보자. 작가 자신의 이야기든지, 어린이의 눈에 비친 이야기든지 그 속에는 작가 자신이 담겨 있을 것이다. 자신과 세상에 대한 물음, 그것이 글쓰기의 시작이다.

그림책은 다른 문학 장르와 다른 특징을 가지고 있다. 그것은 작가와 독자가 서로 다른 집단에 속해 있다는 것이다. 아동문학을 제외한 다른 문학 장르에서는 성인 작가가 성인 독자를 위해 글을 쓴다. 그러나 대부분의 아동문학 작품에서는 성인 작가가 어린이독자를 위해 글을 쓴다. 어린이에게 성인 작가가 경험한 세상의 이야기를 들려주든지, 어린이 눈에 비친 세상을 그리든지 그림책 작가들에게 가장 중요한 것은 자신이 쓴 이야기가 어린이들에게 공감을 얻는 것이다. 작가 자신의 어린 시절 이야기든지, 작가가 어린이들에게 들려주고 싶은 이야기든지 이야기를 이야기답게 쓴다면 그것은 어린 독자에게 공감을 불러일으킬 것이다. 그러나 작가라고 해서 날마다 이야기가 퐁퐁 솟아나는 것은 아니다. 그러면 글쓰기의 아이디어를 어디서 어떻게 얻을 수 있을까? 아이디어를 얻는 방법은 제2장에서 알아보자.

2

아이디어는 어디서 얻을 것인가

영감은 하늘에게 뚝 떨어지는 것이 아니다.
다양한 자극을 통해 글쓰기의 아이디어를 얻을 수 있다.

2. 아이디어는 어디서 얻을 것인가

중국의 구양수는 좋은 글을 쓰기 위해서 3다(3多)를 말했다. 즉, 다독(多讀), 다작(多作), 다상량(多想量)을 말한다. '다독' 은 글을 많이 읽어야 한다는 뜻이다. 좋은 글을 많이 읽어야 좋은 글을 쓸 수 있다. 글을 읽는다는 것은 단지 작품 읽기를 말하는 것이 아니다. 글쓰기에 영감을 줄 수 있는 다양한 읽기 경험을 포함한다. 읽기 경험이란 어떤 것인가?

우리는 살면서 신문, 잡지, 인터넷에 올라오는 논평, 시, 기사 등 이미 많은 글을 읽고 있다. 그러나 책만큼 좋은 읽기자료가 있을까? 책은 많은 정보를 체계적으로 정리하고 있고, 인터넷보다 고급 정보를 더 많이 담고 있다. 그림책에 글을 쓰려고 하는 사람들은 수시로 신문의 서평란을 보고, 서점에 가서 신간을 살펴보며, 목차를 읽고, 구입하는 수고를 아끼지 않아야 한다. 경제적으로 여유가 있다면 책은 사서 보라고 말하고 싶다. 책은 읽으면서 줄도 치고, 메모도 하는 것이 좋다. 왜냐하면 그 책을 읽는 당시의 생각이 고스란히 흔적으로 남기 때문이다. 도서관에서 대출받은 책에는 흔적을 남길 수 없다. 책이라는 것은 그 책을 읽을 당시 독자의 경험과 감정 등이 책의 내용과 상호작용하게 되어 있다. 나중에 그 책을 다시 읽게 되면 과거에 읽었을 때와는 전혀 다른 감동과 다른 경험을 하게 된다. 그러므로 책을 읽었던 흔적은 그 당시에 느꼈던 감정과 상황 등을 이해할 수 있게 해 주므로 한 사람의 역사가 되기도 하는 것이다.

그러나 글을 읽는 것보다 더 중요한 것은 쓰는 것이다. 구양수가 말한 '다작(多作)' 을 뜻한다. 그림책 작가가 될 사람은 가능한 매일 글을 써야 한다. 반 페이지든, 세 페이지든 가리지 말고 써야 한다. 그래야 글을 쓰는 요령이 늘고, 아이디어가 자연스럽게 글로 흘러나온다.

마지막으로 '다상량(多想量)', 즉 많은 생각을 하는 것이다. 생각은 글쓰기의 영감을 주는 아이디어를 뜻하는데, 영감은 하늘에서 뚝 떨어지는 것이 아니다. 다양한 자극을 통해 글쓰기의 아이디어를 얻을 수 있다.

다음은 아이디어를 찾는 몇 가지 방법을 소개한 것이다. 이것이 전부는 아니겠지만 글쓰기의 영감을 얻는 데 많은 도움이 될 것이다.

1) 메모에서

우리말에 "하루에도 오만 가지 생각을 한다."라는 말이 있다. 실제로 세어 보지 않아서 모르겠지만, 우리는 짧은 순간에도 여러 가지 생각을 한다. 그래서 항상 작은 노트를 들고 다니면서 아이디어가 떠오르는 대로 메모를 하는 습관을 길러야 한다.

특히 전철을 타거나 버스를 탔을 때 혹은 길거리를 지나가면서 마주치는 사람들의 다양한 행동이나 모습을 보면서 '저런 것들을 이야기로 만들어 보면 어떨까?' 하는 영감을 받을 때가 있다. 그러나 이렇게 불시에 떠오른 생각들은 너무 순간적이어서 나중에는 기억이 잘 나지 않는다. 사람이 하루가 지나면 학습한 것의 70%를 잊어버린다고 하지 않는가? 그래서 메모하는 습관이 필요한 것이다. 가방 안에는 언제나 수첩과 펜을 넣어 두고 인상적인 장면을 목격하거나 재미있는 생각이 떠오를 때면 수첩을 꺼내어 적어 둔다. 요즘은 태블릿 PC 혹은 스마트폰을 활용할 수도 있다.

버스나 전철 안에서도 앞에 앉은 사람들의 웃는 모습이나 표정, 기대어 졸고 있는 모습 등을 그림으로 스케치하기도 하고, 두 사람 간의 관계를 상상해 보기도 하면서 둘이 나누는 여러 가지 이야기를 만들다 보면 아주 그럴듯한 이야기가 만들어질지도 모른다.

간혹 새로운 아이디어가 필요할 때는 일부러 마트나 시장에 가는 것도 좋은 방법이다. 시장에는 정말 다양한 물건들이 많이 있고, 여러 연령층의 사람들이 오가기 때문에 글을 쓸 때 많은 도움이 된다. 또한 책을 읽다가 좋은 생각이 났다면 포스트잇을 붙여 그 페이지를 찾기 쉽도록 해 놓을 수도 있다.

이렇게 메모한 자료들이 자신도 모르는 사이에 방대한 자료가 되기도 한다. 가끔 예전에 메모한 것을 꺼내 보면 깜짝 놀랄 때가 있다. 보물처럼 숨어 있는 소재들이 아주 많다는 데 놀라고, 그 당시 느꼈던 감정들이 소중해서 또 한 번 놀란다. 모든 메모들이 하나의 이야기로 완성되지는 않지만, 그림책을 만드는 데 에피소드가 떠오르지 않을 때 아주 요긴하게 사용할 수 있다.

2) 자신의 경험에서

글감은 자신의 직 · 간접적인 경험에서 얻어진다. 누구나 어린 시절의 추억을 한두 가지쯤은 가지고 있을 것이다. 혹은 현재 자녀를 키우는 사람이나 아이를 돌보아 본 경험이 있는 사람 또는 아주 가까이에 조카가 있거나 교사라서 어린이들을 자주 접하는 사람이라면 그들과 함께하면서 벌어지는 에피소드가 있을 것이다. 그림책을 쓸 때는 어렸을 때나 아이들과의 경험이 좋은 재료가 된다.

다양한 장소를 여행했거나 여러 가지 직업을 가졌던 사람이라면 자신만의 경험이나 추억이 더 많을 것이다. 이러한 이야기들도 재미있는 소재가 될 수 있다. 그러나 자신의 다양한 경험이 모두 좋은 이야기로 완성되는 것은 아니다. 경험은 소재가 될 수 있는 아이디어를 제공할 뿐이다. 다양한 경험을 바탕으로 이야기를 잘 조직하여 그림책의 원고로 완성해 보자. 방법은 뒤에서 다시 구체적으로 설명할 것이다.

3) 다른 사람의 경험에서

때로는 다른 사람과 대화하는 중에 아이디어를 얻는 경우도 있다. 『빈집 탐험대』(2008)는 다른 사람의 어린 시절 경험을 듣고 아이디어를 얻은 경우다. 함께 이야기를 나누다가 어린 시절에 빈집에서 많이 놀았다는 말을 듣고, 어른들이 없는 빈집에서 노는 아이들의 모습이 떠오르기 시작했다. 빈집이라는 공간 속에서 아이들이 자유롭게 놀고 있는 모습들을 풀어 내면 좋을 것이라는 구체적인 아이디어가 생겨났고, 여러 특징을 가진 주인공들을 결합시켜 이야기 구조를 만들기 시작하였다.

2-1. 『빈집 탐험대』(윤아해 · 최경 글, 혜경 그림, 한우리북스, 2008). 놀 곳이 없는 어린이들이 빈집을 탐험하며 신나게 논다.

그러나 여기에서 주의해야 할 점이 있다. 다른 사람의 이야기로부터 아이디어를 빌리는 일은 아주 민감한 것이기 때문이다. 만약 이야기를 하는 사람이 글을 쓰는 작가라면 자칫 표절 문제에 휘말릴 수 있다. 다른 사람으로부터 이야기를 들은 경우, 그 이야기를 글로 써도 되는지 이야깃거리를 제공한 사람에게 허락을 받는 것은 작가로서 갖추어야 할 최소한의 양심이다.

이 책의 공동 저자인 윤아해와 최경은 다른 사람의 경험을 듣고 이 이야기를 그림책으로 만들어도 된다는 동의를 얻은 뒤 작업에 들어갔다. 그러나 앞에서도 이야기했듯이, 경험이 이야기가 되는 것은 아니다. '빈집에서 놀았다.' 는 경험을 그림책으로 만들기 위해서 캐릭터를 만들어 내는 작업, 캐릭터에 맞는 소품을 만드는 작업, 소품에 연결된 이야기의 구조를 만들어 내는 작업을 거쳤다. 이와 같이 아이디어가 그림책 원고가 되기까지는 많은 고민과 노력이 필요하다.

4) 대중매체에서

TV가 깊이 있는 정보를 전달하는 데는 한계가 있을지 몰라도 다양한 정보를 얻기에는 이것만큼 좋은 것도 없다. 기다렸다가 보는 프로그램에서 좋은 글감을 얻기도 하지만, 우연히 보게 되는 프로그램에서 아이디어를 얻기도 한다. 다양한 프로그램에서 소개되는 갖가지 이야기들은 참신하고 재미있는 것들이 많아 글을 쓰는 데 좋은 재료가 된다. 실제로 『어처구니 이야기』(2006)를 쓴 박연철 작가는 〈스펀지〉라는 TV 프로그램에서 아이디어를 얻었고, 『꽃신』(2010)을 쓴 윤아해 작가는 〈생활의 달인〉이라는 TV 프로그램에서 아이디어를 얻었다.

2-2. 『어처구니 이야기』(박연철 글 · 그림, 비룡소, 2006). 어처구니들이 손을 잡기 위해 우여곡절을 겪고 난 뒤 잡상이 된 이야기다.

2-3. 『꽃신』(윤아해 글, 이선주 그림, 사파리, 2010). 어린 시절 눈 오는 날 꽃신을 벗어 준 사람에 대한 고마움으로 갖바치가 된 디딤이가 꽃신을 만들어 은혜를 갚는 이야기다.

과학 정보책을 쓸 때에는 〈동물의 왕국〉이나 〈내셔널 지오그래픽〉, 〈TV 동물농장〉 등에서 본 장면들이 이야기의 전체적인 얼개를 잡는 데 중요한 역할을 하기도 한다.

이혜영 작가의 『아빠가 지켜 줄게』(2007)도 아빠 펭귄이 나오는 다큐멘터리를 보면서 받은 영감을 토대로 이야기를 만들었다고 한다.

2-4. 『아빠가 지켜 줄게』(이혜영 글 · 그림, 비룡소, 2007). 아빠 펭귄이 여러 가지 어려움 속에서도 알을 잘 품고 지켜서 예쁜 새끼가 태어나게 되는 이야기다.

뿐만 아니라 신문에 나오는 다양한 사건들도 이야기의 소재가 된다. 신문에는 역사, 환경, 교육, 사회, 일반 등 다양한 장르의 이야기들이 숨어 있다. 이것을 어떤 시각과 어떤 이야기 구조로 표현하는가에 따라서 때로는 정보책이 되기도 하고 때로는 이야기책이 되기도 한다.

5) 브레인스토밍을 통해서

좋은 아이디어가 떠오르면 그 아이디어에 초점을 맞추어 파고드는 것도 필요하다. 번뜩이는 아이디어가 생각났을 때 가장 중요한 것은 아이디어를 확장시키고, 구체적인 이야기로 만들 수 있도록 하는 것이다. 특히 아이디어가 매우 추상적인 것이라면 좀 더 구체화하기 위해서 브레인스토밍을 해 보는 것이 좋다. 하나의 주제나 아이디어에 대해서 브레인스토밍을 해 보면 자신이 어떤 것을 알고 있으며 어떤 것을 모르고 있는지를 시각적으로 쉽게 알 수 있다. 모르고 있는 것이 발견되면 그 자료를 찾기 위해 노력할 수 있고, 에피소드를 구성하는 아이디어가 부족하다면 다양한 에피소드를 찾아볼 수 있다. 또한 브레인스토밍을 하여 전체적으로 살펴보면 어떤 부분에 집중할 것인지를 판단하는 데 도움이 된다.

예를 들어, 동물끼리 주고받는 감정이나 유대감, 의사소통에 대해 아이디어가 생각났다면, 동물의 의사소통에 관해서 기존에 알고 있는 것을 브레인스토밍하여 하나의 웹으로 만들어 보는 것이다. 브레인스토밍의 과정에서 동물의 의사소통 유형이나 방법을 다양하게 떠올릴 수도 있고, 의사소통 시 사용하는 신체 부위를 생각해 볼 수도 있다. 한 가지 아이디어에 집중하는 것은 이야기를 구체화하는 데 직접적인 도움을 주어 아이디어를 보다 이야기답게 만들어 준다.

6) 도서관에서

소재나 주제를 정한 후, 자료를 찾을 때 필수적으로 가야 하는 곳이 도서관이다. 도서관은 작가에게 영감을 주는 창고와 같은 곳이다. 새로 나온 신간들은 최신의 출판 경향들을 파악하는 즐거움을 느끼게 해 주고, 다양한 장르의 책들은 관심 있는 분야에 대해서 깊이 있게 탐색할 수 있는 기회를 준다. '집' 에 대해 관심이 있을 경우는 검색대에서 '집' 을 치면 수십 혹은 수백 권의 자료가 검색된다. 그 책을 조금씩 찾아보면서 자신이 원하는 내용에 가까운 책들을 선별할 수 있고, 원하는 대상 연령을 정하여 그 연령의 책들을 중점적으로 살펴볼 수도 있다.

윤아해와 최경은 보물에 관한 이야기를 쓰려고 도서관에서 자료를 찾다가 반구대 암각화에 대해 관심을 갖게 되었다. 자료들을 찾아보면서 암각화에 대해 더 자세히 알게 되었고, 그것을 이야기로 만들었다. 그래서 탄생한 책이 『누가 벽에 낙서한 거야?』(2009)다.

정보책을 쓰건, 이야기책을 쓰건 간에 도서관에서 키워드로 검색된 책들을 찾다 보면 내가 쓰고 싶은 책의 콘셉트와 내용을 구체화하는 데 도움이 된다.

2-5. 『누가 벽에 낙서한 거야?』(윤아해 · 최경 글, 이갑규 그림, 한우리북스, 2009). 울산 반구대 암각화의 유래와 의미를 이야기를 통해 재미있게 소개하고 있다.

7) 전문가를 통해서

정보책을 쓸 때 전문가와 인터뷰를 하는 것은 시간을 절약하면서 질 높은 정보를 얻을 수 있는 방법이다. 직접 인터뷰를 하는 방식도 있지만 전화 인터뷰를 할 수도 있다.

정보책에서 가장 중요한 것은 정확한 정보라고 할 수 있다. 따라서 정보책을 쓸 때는 쓰고자 하는 소재와 관련된 정보를 많이 찾게 된다. 살아있는 인물에 대한 이야기를 쓸 때, 인터뷰는 필수적이다. 또한 어떤 특별한 분야에 대한 이야기를 쓰게 될 때도 마찬가지다. 윤아해와 최경은 『누가 벽에 낙서한 거야?』(2009)를 쓸 때, 탁본에 관한 정보가 필요하였다. 물론 도서관이나 인터넷, 서점 등에서 관련 정보들을 많이 찾았으나, 이야기 속에 등장하는 인물의 직업이 탁본 전문가이므로 정확한 정보를 위해 울주군의 암각화 탁본 전문가의 의견이 필요하였다. 그래서 암각화에 대해서 다룬 책과 문화재 사이트에 접속하여 관련 전문가가 누구인지 알아보았고, 여러 사람을 거친 끝에 울주군 암각화를 탁본한 전문가와 연결이 되어 정확한 정보를 얻을 수 있었다.

8) 어린이 관찰을 통해서

어린이가 일상에서 무엇을 보고, 듣고, 느끼는지를 조사하는 것은 아동문학 작품에서 생생한 캐릭터를 잡는 데 도움이 된다. 그들이 보는 TV 프로그램, 그림책, 놀잇감, 컴퓨터 게임도 같이 해 본다. 그들이 시간을 보내는 곳, 어린이집이나 유치원, 학원에도 가서 무엇을 경험하고 있는지 조사한다.

그림책을 쓰기 위해서는 어린이의 마음이나 관심사, 말투 등을 잘 관찰하는 것이 필요하다. 그래야 어린이가 공감할 수 있는 소재를 선택할 수 있다. 소재의 선택뿐 아니라 문장을 쓸 때, 어린이와 이야기를 해 보거나 서로 주고받는 말을 들어 보는 것도 도움이 된다. 때로는 그림책에서 어린이의 말을 그대로 써야 할 때가 있기 때문이다. 어떤 작가는 유치원에 자원봉사를 나가 어린이를 관찰한다고 한다. 또 어떤 작가는 놀이터에서 어린이의 놀이와 대화를 관찰한다고 한다. 그림책을 쓰기 위해서는 어린이의 생활, 그들의 생각에 친근하게 다가갈 수 있어야 한다. 어린이는 자신들의 이야기를 좋아하기 때문이다.

3

어떤 인물이 매력적인가

캐릭터들은 각자 개성을 지니고 있어야 하며
실제 존재하는 것처럼 생동감이 있어야 한다.

3. 어떤 인물이 매력적인가

사람마다 특징이나 개성이 있듯이, 그림책에 등장하는 주인공도 매우 다양하다. 주인공은 사람(어른 혹은 어린이)일 수도 있고, 동물이나 무생물 혹은 상상의 산물일 수도 있다. 그림책에 등장하는 주인공들은 종류가 다양할 뿐 아니라 자신만의 독특한 캐릭터가 있다. 아주 이성적이고 진지한 캐릭터가 있는 반면 장난치는 것을 좋아하고 익살스러운 캐릭터도 있고, 적극적으로 문제를 해결하는 캐릭터가 있는 반면 소극적으로 반응하는 캐릭터도 있으며, 예의바르고 반듯한 캐릭터가 있는 반면 엉뚱하고 사고뭉치인 캐릭터도 있다. 캐릭터가 어떠한지에 따라서 사건이나 결말 등 이야기의 내용과 분위기, 전달하는 메시지도 달라진다. 때로는 같은 주제라도 캐릭터의 성격에 따라서 책에서 느끼는 즐거움이나 감동이 전혀 다른 경우도 있다. 그림책에는 다양한 캐릭터들이 존재하지만 유독 많은 사람들에게 사랑을 받는 매력적인 캐릭터가 있고, 그렇지 못한 캐릭터도 있다. 그림책을 덮은 후에도 계속 기억에 남아 있는 캐릭터가 매력적인 캐릭터라고 할 수 있다. 그렇다면 매력적인 캐릭터에는 어떤 특징이 있는지 알아보자.

1) 평범하고 일상적인 캐릭터

독자가 책을 읽을 때 그림책 속 캐릭터가 자신 혹은 주변의 누군가와 비슷하다고 생각하여 공감을 불러일으킨다면 매력적인 캐릭터라고 할 수 있다. 그러한 캐릭터는 책을 덮은 뒤에도 자꾸 생각나고 보고 싶어지는 것이다.

그림책에는 여러 가지 등장인물이 존재하지만, 그중에 가장 많은 비중을 차지하는 것이 부모와 어린이다. 부모와 자녀는 서로에게 가장 친밀하고 의미 있는 존재이지만, 갈등의 주요인물이 되기도 한다. 그리고 그들은 그림책을 읽는 주 독자이기도 하다.

『왜요? *Why?*』(2002)에는 호기심이 많아서 모든 상황마다 "왜요?"라고 끊임없이 질문하는 어린이가 등장한다. 우리 주변에서도 "왜요?"라는 질문을 입에 달고 다니는 어린이를 많이 볼 수 있다. 부모는 아이가 세상에 호기심을 갖는 것이 기특해서 처음에는 열심히 대답해 주려고 노력하지만, 아이의 질문은 부모의 인내력을 넘어설 정도로 부담이 되는 경우가 많다. 이 책에 등장하는 아빠도 릴리의 질문에 대답하기 위해 열심히 노력하지만, 때로는 지쳐서 힘들어하기도 한다. 그래서 릴리와 아빠의 캐릭터는 독자의 공감을 불러일으켜 매력적인 캐릭터로 기억된다.

3-1. 『왜요?』(린제이 캠프 글, 토니 로스 그림, 바리 옮김, 베틀북, 2002). 호기심이 많아 계속 질문을 하는 아이와 부모의 모습을 실감나게 묘사하고 있다.

이 책을 읽는 어린이는 자신처럼 호기심이 많은 릴리의 모습에 공감하게 되며, 릴리의 아빠를 보면서 자신의 호기심에 힘들어하는 부모를 떠올리게 될 것이다. 캐릭터에 공감하는 것은 자신의 처지를 이해하게 도와주며 아울러 상대방의 입장을 객관화시켜 보게 한다.

이 책을 통해 부모도 자신의 모습을 발견할 수 있다. 부모는 '나만 그런 것이 아니라, 모든 부모가 다 그렇구나.'라는 위로를 받고 때때로 힘들고 귀찮게 하는 내

아이의 호기심을 다시 생각해 보게 된다. 평범하고 일상적인 캐릭터를 창조하고 싶다면 주변에 있는 어린이와 부모들의 일상을 깊이 있게 관찰해 보자.

이야기가 있는 정보책에 등장하는 캐릭터는 어떠할까? 『신기한 스쿨 버스: 태양계에서 길을 잃다 *The Magic School Bus: Lost in the Solar System*』(1999)는 세계적으로 많은 사랑을 받고 있는 정보책이다. 이 책에는 정보를 안내하는 프리즐 선생님뿐 아니라 정보를 찾고 더 깊이 알아가는 어린이들이 등장한다. 그들은 바로 유치원이나 학교 교실에서 흔히 볼 수 있는 어린이들이다. 뭔가 하기 귀찮아서 빼는 어린이, 적극적으로 참여하는 어린이, 잘난척 하는 어린이 등 현실에 있을 법한 캐릭터로 구성되어 있기 때문에 이 책을 읽다 보면 꼭 내 이야기처럼 더 친근하게 느껴진다. 어린이독자는 이 책을 읽으면서 정보도 얻지만 나와 같은 캐릭터, 내 친구와 같은 캐릭터 혹은 우리 반에서 내가 싫어하는 아이의 캐릭터를 발견한다. 그러나 이 책에서는 얄미운 아이들이 얄미운 것으로만 끝나지 않는다. 이 작품에 나오는 아놀드의 사촌 제니크는 그야말로 잘난 척 대장이고 나서기 좋아하는 어린

3-2. 『신기한 스쿨 버스: 태양계에서 길을 잃다』(조애너 콜 글, 브루스 디건 그림, 이연수 옮김, 비룡소, 1999). 프리즐 선생님과 반 아이들이 태양계 속에 들어가 벌이는 모험을 다루고 있다.

이다. 아이들 모두 견딜 수 없을 만큼 제멋대로다. 그러나 조애너 콜은 제니크를 그저 참을 수 없는 어린이로 낙인찍지 않고 그의 약점을 강점으로 만들어 또래집단에서 인정받을 수 있게 해 준다. 작가가 설정한 캐릭터에 대한 애정은 어쩌면 조애너 콜이 가진 사람에 대한 애정, 특히 어린이들에 대한 애정인지도 모른다. 사람은 누구나 약점과 강점을 가지고 있다. 얄미운 어린이, 잘난 척하는 어린이도 태도가 미운 것이지 아이 자체가 잘못된 것은 아니다. 왜냐하면 살다 보면 한 사람의 강점이 약점이 되기도 하고, 약점이 강점이 되기도 하기 때문이다.

정보책을 읽는 어린이들이 캐릭터와 공감한다는 것은 독자가 정보를 비교적 쉽게 흡수할 확률이 높아진다는 뜻이다. 캐릭터를 창조하는 작가는 인간에 대한 통찰력이 필요하다. 이것은 하루아침에 만들어지는 것이 아니다. 사람에 대해 애정을 갖고 열심히 관찰하다 보면 생생하게 살아 있는 캐릭터를 만들어 낼 수 있다. 이러한 캐릭터만이 독자의 공감을 이끌어 낼 수 있는 것이다. 이야기가 있는 정보책의 성공은 정보를 전달하는 캐릭터에 있다. 매력적이고 재미있는 캐릭터를 만드는 힘은 인간에 대한 애정 어린 시선에서 나온다고 할 수 있다. 따라서 매력적인 캐릭터를 만들기 위해서는 사람을 여러 가지 방법으로 깊이 탐색하고 관찰하는 과정을 거쳐야 한다.

그림책에는 사람뿐 아니라 동물들도 많이 등장한다. 독자의 입장에서 보면, 어린이들은 동물을 좋아하고 둘 사이에는 비슷한 점이 있기 때문이다. 또한 작가의 입장에서 보면 각 동물들에게는 생태적인 습성이나 이미지들이 있기 때문에 캐릭터를 설정하기가 수월하다. 또한 성, 나이, 신분, 인종과 같이 논란이 있을 만한 구체적인 정보를 밝히지 않아도 되기 때문에 작가들은 동물을 주인공으로 자주 등장시킨다.

사람이 아닌 동물을 등장인물로 하는 경우에, 작가는 사람들이 삶에서 느끼는

3-3. 『내가 아빠를 얼마나 사랑하는지 아세요?』(샘 맥브래트니 글, 아니타 제람 그림, 김서정 옮김, 베틀북, 1997). 아기토끼와 아빠토끼의 대화와 행동을 통해 가족 간의 사랑을 보여 준다.

보편적인 감정을 동물 캐릭터에 대입시켜 실감나게 표현함으로써 공감을 불러일으킬 수 있다. 『내가 아빠를 얼마나 사랑하는지 아세요? *Guess how much I love you*』(1997)는 사랑을 주고받고 싶은 인간의 보편적인 욕구를 아기토끼와 아빠토끼를 통해서 아주 익살스럽게 표현하고 있다. 아기토끼는 아빠토끼에게 자기가 얼마나 아빠를 사랑하는지를 보여 주고 싶어 한다. 아기토끼는 귀엽고 사랑스러운 모습으로 자신의 사랑을 표현한다. 아빠토끼는 아기토끼의 마음을 모르는 척하면서 아기토끼보다 더 긴 귀와 다리를 이용하여 아빠의 사랑을 표현한다. 아빠토끼는 아기토끼를 이기려고 하는 장난꾸러기 캐릭터로 표현되어 있어서 아빠와 아이 간의 사랑을 밝고 유쾌하며 사랑스러운 느낌으로 전달한다. 사랑의 크기를 나타내는 방법으로 작가는 토끼 귀, 뜀뛰기 등 토끼의 신체적 특징을 이용하여 구체적으로 표현한다. 이것은 우리가 일상에서 아이들에게 표현하는 방법과 다르지 않다. "아빠는 너를 이만큼 사랑한단다."라고 말을 하면서 팔을 펴기도 하고, "하늘만큼 땅만큼 사랑한다."라고 말하기도 하며, 얼굴에 뽀뽀를 진하게 하기도 한다. 그러다가 아이들이 제법 자라면 아이들도 자신이 얼마나 엄마, 아빠를 사랑하는지 손으로, 몸으로 보여 주려고 한다. 때로는 서로 자기가 더 많이 사랑한다고 자랑을 하거나 시합을 하려는 경우도 있다. 이것은 이 책의 아빠토끼와 아기토끼가 보여 주는 모습과 매우 닮아 있다. 그래서 이 책의 캐릭터가 매력적으로 느껴지는 것이다.

만약에 이 책에 나오는 캐릭터가 토끼가 아니라 늑대나 사자였다면 어떨까? 이렇게 사랑스럽고 아기자기한 부모와 아이의 관계는 그려 내지 못했을 것이다. 그래서 지금과는 사뭇 다른 분위기를 자아냈을 것이다. 그렇다고 이야기에서 늑대나 사자를 쓰면 안 된다는 의미는 아니다. 늑대나 사자의 신체적인 특성을 잘 살려 쓴다면 전혀 다른 색깔의 재미있는 이야기가 나올지도 모르기 때문이다. 다만 이 작가는 책에서 사랑스럽고 아기자기한 분위기를 자아내는 데 토끼가 가장 효과적일 것이라 판단했고, 추상적인 사랑을 토끼의 신체적인 특성에 녹여 내는 데 성공하였다. 자신이 말하고자 하는 주제를 가장 실감나게 전달할 수 있으며 독자에게 공감을 불러일으킬 수 있는 주인공을 설정하여 독특한 개성을 부여하는 것, 그것이 바로 독자의 마음속에 오래 남아 있는 캐릭터를 만드는 비법이라고 할 수 있다.

2) 욕구와 결핍을 표현하는 캐릭터

인간은 누구나 불완전하며 자신의 욕구가 충족되지 못하여 결핍된 부분이 있다. 그것은 그림책에 나오는 등장인물도 마찬가지다. 그림책에는 여러 가지 욕구를 가지고 있으며, 그 욕구가 채워지지 못해서 갈등하고 고민하는 다양한 주인공들이 등장한다. 어떤 주인공은 살아가는 데 가장 기본적인 배변, 배고픔, 수면 등과 같은 생리적인 욕구를 충족하지 못하기도 하고, 어떤 주인공은 비만이거나 못생긴 외모, 장애 등과 같이 외형적이거나 신체적으로 불완전하기도 하다. 때로는 위험이나 공포에 처한 주인공도 있고, 배고프고 가난하여 경제적으로 어려운 주인공도 있다. 그뿐 아니라 여러 주인공들은 가족이나 또래 등의 다양한 공동체 속에서 그들과 관계 맺는 것을 힘들어하고, 남들로부터 존중받지 못해 고민하기도 하며, 자아를 실현하지 못해 힘들어하기도 한다. 혹은 어떤 주인공은 여러 가지 결핍을 동시에 경험하기도 한다. 하지만 주인공의 욕구와 결핍은 부정적인 것이 아니라, 주인공을 성장하게 해 주는 힘이다. 독자는 자신과 유사한 욕구와 결핍을 경험하는 그림책 속 주인공에게 감정을 이입하고 동일시하게 된다. 그래서 주인공이 힘들어하는 모습에 안타까워하고, 문제를 해결하기 위해 노력할 때는 함께 마음 졸이기도 하며, 문제를 해결하고 원하는 것을 성취했을 때는 자신의 일처럼 기뻐하게 되는 것이다. 그림책 속에서 주인공이 겪는 어려움과 결핍이 주인공을 변화시키고 성장시키듯이, 주인공의 변화를 지켜보며 공감하는 독자도 간접적인 경험을 통해서 성장하게 되는 것이다.

『괴물들이 사는 나라』(2002)에는 장난꾸러기 아이 맥스가 등장한다. 모든 어린이들이 그러하듯이, 맥스는 놀이에 대한 욕구가 강한 아이이다. 그래서 집 안 곳곳에서 괴물놀이를 한다. 하지만 맥스의 욕구는 엄마에게 이해받지 못하고 금지 당한다. 엄마는 맥스에게 "이 괴물딱지 같은 녀석!" 이라고 말하며 저녁밥도 안 주고 방에 가둔다. 맥스는 놀고 싶은 욕구뿐 아니라 엄마에게 사랑받고 이해받고 싶은 욕구까지도 좌절된 것이다. 그러나 맥스는 자신이 원하는 욕구가 충족되지 않은 결핍 상태에서도 포기하지 않고 스스로 괴물들이 사는 나라를 상상한다. 맥스는 괴물 나라에서 마음껏 괴물 소동을 벌이고 욕구를 충족시키며 위로받는다. 그러고는 현실 속에 있는 엄마를 떠올린다. 엄마는 맥스를 방에 가두었지만, 따뜻한 저녁밥을 지어 여전히 맥스를 사랑하고 있다는 것을 보여 준다. 맥스 역시 멀리서 풍겨오는 저녁밥 냄새로 엄마의 사랑을 느끼고, 다시 집으로 돌아온다.

맥스는 자신이 약하다는 것을 알기 때문에 무섭고 힘센 괴물을 동경하고 동일시하면서 자신의 에너지를 시험하고 싶어 한다. 작가는 맥스의 욕망과 결핍을, '괴물들이 사는 나라' '괴물딱지 같은 녀석' '엄마를 잡아 먹어 버릴 거야.' '저녁밥' 이라는 언어적인 표현을 통해서 극대화한다. 이 말들은 캐릭터의 개성을 더

욱 부각시키는 상징이다.

이 책의 주인공 맥스는 세계 곳곳의 독자들로부터 오랫동안 사랑받아 온 캐릭터다. 하지만 맥스가 사랑받는 캐릭터가 된 것은 특별하거나 비범해서가 아니다. 오히려 어디에서나 쉽게 볼 수 있는 말썽꾸러기 어린이기 때문이다. 어쩌면 맥스는 현실의 어린이보다 더 버릇없고 당돌한지도 모른다. 그래도 맥스가 사랑받는 이유는 현실의 어린이들이 갖고 있는 욕구를 맥스가 대신 충족시켜 주기 때문이다.

이와 같이 결핍의 요소를 가지고 있는 평범한 주인공이 결핍을 해결하고 극복하기 위해 노력하는 과정은 독자에게 뿌듯함과 만족감을 불러일으킨다.

맥스와 같이 매력적인 캐릭터를 만들고 싶다면, 어린이들이 어떤 욕구를 가지고 있으며 그 욕구를 위해 어떻게 노력하는지 깊이 있게 관찰해 보자. 그러면 캐릭터를 만드는 데 도움이 될 것이다.

전 세계에는 빈곤과 가난에 노출된 어린이들이 많이 있다. 이들이 갖고 있는 가장 절실한 욕구는 신체적이고 경제적인 안전이다. 『엄마의 의자 *A Chair for My Mother*』(1999)에는 세 명의 여자 주인공이 나온다. 어린 소녀, 식당에서 일하고 있는 엄마, 인자한 할머니로, 이들은 서로 아껴 주는 따뜻한 가족이다. 그러나 이들은 미국에 살고 있는 남아메리카계 사람들로서 식당 종업원으로 일할 수밖에 없는 인종적 환경, 한 부모 가정이라는 사회

3-4. 『엄마의 의자』(베라 윌리엄스 글 · 그림, 최순희 옮김, 시공주니어, 1999). 엄마의 의자를 사는 과정을 통해 가족들 간의 사랑을 보여 주고 있다.

적 환경, 화재로 인한 경제적 환경의 어려움을 겪고 있다. 가족이 겪는 결핍과 욕구를 충족시켜 줄 수 있는 것이 바로 소파다. 가족들은 엄마가 편히 쉴 수 있는 멋진 소파를 구입하기 위해 커다란 유리병에 동전을 열심히 모으기 시작한다. 일 년 후, 드디어 빨간 꽃무늬가 있는 예쁜 소파를 구입하고 가족은 무척 행복해한다. 소파는 퇴근한 엄마에게 편안함을 주는 공간, 낮에 할머니가 이웃들과 담소하는 공간, 때로는 소녀가 엄마와 함께 행복한 시간을 보내는 공간이다. 그러므로 여기서 소파는 단순한 가구의 의미를 넘어, 경제적 · 신체적 · 정서적 만족을 주는 상징이라고 할 수 있다.

이 책에서 등장인물이 겪는 결핍과 갈등은 주인공 외부에 있는 경제적인 어려움이다. 경제적인 어려움은 가족의 힘으로 이겨 낼 수 없을 것 같은 크고 어려운 대상이다. 하루아침에 달라지지도 않는다. 그러나 이 가족은 좌절하지 않는다. 온 가족이 조금씩 힘을 모아 마련한 소파는 희망의 상징이다. 물론 소파 하나로는 경제적 어려움이 달라지지 않는다. 하지만 하나되는 가족의 사랑은 어떠한 어려움도 잘 이겨 낼 수 있으리라는 믿음을 갖게 하고, 비슷한 처지에 있는 어린이들에게 희망을 갖게 한다.

3-5. 『꼬마 곰 코듀로이』(돈 프리먼 글 · 그림, 조은수 옮김, 비룡소, 1996). 꼬마곰 코듀로이와 소녀가 친구가 되는 과정을 보여 주고 있다.

『꼬마 곰 코듀로이 *Corduroy*』(1996)에는 작은 곰 인형 코듀로이가 주인공으로 등장한다. 때 묻은 어깨끈에 단추까지 떨어진 곰 인형은 외형적인 결핍을 갖고 있는 동시에, 사랑받고 싶은 내적인 욕구도 결핍되어 있다. 곰 인형은 늘 누군가 다가와 자기를 데려가 주기를 기다리고 있다. 그러던 어느 날 리자라는 여자 아이를 만나게 된다. 리자 역시 친구가 필요한 어린이기 때문에 곰 인형을 보는 순간 자신과 닮았다는 것을 알게된다. 서로 친구가 되기 위해 곰 인형은 자신의 잃어버린 단추를 찾기 위해 노력하고, 리자는 엄마의 반대를 무릅쓰고 저금통을 탈탈 털어 곰 인형을 사러 온다. 드디어 둘은 친구가 되어 서로의 결핍을 충족시켜 준다.

곰 인형 코듀로이가 매력적인 이유는 아무도 거들떠보지 않는 초라하고 지저분한 인형이 느끼는 심리적 외로움과 결핍 때문이다. 이것은 작고 연약한 어린이의 모습과 다르지 않다. 어린이에게는 친구가 필요하다. 친구가 없는 어린이라면 리자처럼 곰인형에게서 자신의 모습을 발견하고 공감한다. 그러나 아무리 공감을 한다고 해도 결핍만 가지고는 매력적인 캐릭터가 될 수 없다. 주인공이 결핍을 해결하기 위해 노력하는 모습이 등장인물을 더 매력적으로 만든다. 자신이 쓰고 있는 캐릭터를 다시 살펴보자. 어떠한 욕구가 있는지, 어떠한 결핍이 있는지, 그것을 어떻게 해결할 것인지 고민한다면 매력적인 자신만의 캐릭터를 만들 수 있을 것이다.

3) 독특하고 개성 넘치는 캐릭터

독자는 평범하고 익숙한 캐릭터에도 매력을 느끼지만, 특별하고 독특한 캐릭터에도 매력을 느낀다. 그것은 주인공이 자신이 해 보지 못한 일을 할 때 대리만족을 느끼기 때문이며, 평범한 듯 보이는 우리의 모습 어딘가에 특별한 개성이 숨어 있음을 발견하기 때문이다.

3-6. 『꽃을 좋아하는 소 페르디난드』(먼로 리프 글, 로버트 로슨 그림, 정상숙 옮김, 비룡소, 1998). 꽃을 좋아하고 평화를 사랑하는 특별한 소, 페르디난드의 유쾌한 이야기다.

『꽃을 좋아하는 소 페르디난드 *The Story of Ferdinand*』(1998)에서 어린 황소 페르디난드는 보통 황소와는 다르게 아주 특별한 점이 있다. 황소라면 거칠게 뛰어다니고 뿔로 받으며 싸우는 것을 좋아하는데, 페르디난드는 싸우는 것을 싫어하고 평화롭고 아름다운 것을 좋아한다. 페르디난드가 매력적인 이유는 황소가 황소답지 않기 때문이다. 사람도 마찬가지다. 모두 공부하고 노래 부르고 운동할 때 혼자 다른 일에 열중하고 엉뚱한 행동을 하는 어린이도 있다. 이 어린이가 매력적인 이유는 다른 어린이들과 다르기 때문이다. 다른 것은 나쁘고 잘못된 것이 아니다. 그저 그 어린이의 특성일 뿐이다.

페르디난드는 투우장 안에서도 싸울 생각은 하지 않고, 가만히 앉아서 아가씨들의 머리에 꽂힌 꽃향기만 맡는다. 사람들은 페드디난드가 싸우는 소가 되도록 갖은 방법을 다해 보지만, 페르디난드를 싸우게 할 방법이 없다는 것을 알고 결국 집으로 돌려보낸다. 집으로 돌아온 페르디난드는 코르크나무 그늘에 앉아 꽃향기를 맡으며 행복해한다.

페르디난드는 보통 황소와는 달리 꽃을 좋아하고 평화를 사랑하는 개성 넘치는 캐릭터다. 남과 다르면 외톨이로 지낼 수밖에 없다. 하지만 페르디난드는 남과 같아지기를 원하지 않았다. 위험한 순간에도 자신이 좋아하는 것을 포기하지 않았다. 그래서 결국 페르디난드는 싸우는 황소가 아니라 꽃을 좋아하는 소로 살게 된다.

어린이의 입장에서 보면 이 책은 자신이 잘하는 것, 좋아하는 것, 소망하는 것이 무엇인지 생각해 보게 한다. 또한 삶이 남들의 기대나 시선에 의해 좌우되는 것이 아니라 자신이 잘하고 좋아하는 것을 하며 살아갈 수 있음을 알게 된다. 부모의 입장에서는 여러 가지 여건들 때문에 자신이 원하는 삶을 살지 못하지만, 마음속에는 늘 자신이 좋아하고 하고 싶었던 일을 꿈꾼다. 페르디난드는 그러한 사람들에게 꿈을 잃지 말라고 응원해 주는지도 모른다. 또한 이 책을 읽은 부모는 세상이 바라는 삶을 자녀들에게 강요하기 보다 자녀의 기질과 재능을 인정하며 격려해야 한다는 것을 느끼게 된다. 그러기에 페르디난드는 어른과 어린이 모두에게 꿈과 소망에 대한 긍정적인 모델이 되는 것이다.

윌리엄 스타이그의 그림책 『슈렉! *Shrek!*』(2001)은 2001년에 개봉된 애니메이션 영화 〈슈렉〉의 원작이다. 슈렉은 지금까지 보아 온 그림책의 주인공들과는 전혀 다르다. 못생겼다는 것으로는 설명이 되지 않을 정도로 흉측하고 고약한 냄새까지 풍기는 괴물이다. 얼마나 역겨운 냄새가 나는지 슈렉이 지나가면 동물과 사람 뿐 아니라 나무와 풀도 픽 하고 쓰러질 정도다. 또한 우리가 착하고 순수하다

3-7. 『슈렉!』(윌리엄 스타이그 글 · 그림, 조은수 옮김, 비룡소, 2001). 못생기고 우스꽝스러운 데다가 못되기까지한 녹색괴물 슈렉이 못생긴 공주를 만나는 재미있는 이야기다.

고 생각하는 아이들조차도 슈렉을 끔찍하게 여긴다. 주인공 슈렉뿐만 아니다. 슈렉에 나오는 공주조차 우리의 상상을 뒤집는다. 못생기고, 다래끼가 나고, 뾰루지까지 난 끔찍한 공주다. 끔찍한 괴물과 공주는 서로를 역겨워하기는 커녕 서로 아름답다고 찬미하며 반가워하고 결혼해서 오래오래 행복하게 산다. 이 책을 처음 접하고 난 뒤 느끼는 감정은 '뭐 이런 캐릭터가 다 있어?' 라는 생각이다. 그러나 시간이 지날수록 묘한 매력을 느끼게 된다. 우리가 기존에 생각하고 있는 미의 기준, 착함의 기준을 완전히 뒤집어 놓는 캐릭터기 때문에 놀라움을 주는 동시에 매력을 느끼게 되는 것이다.

그렇다면 슈렉이라는 캐릭터가 주는 매력은 무엇일까? 그것은 바로 가식 없고 꾸밈 없는 모습 때문일 것이다. 슈렉의 모습은 기존에 우리가 결핍이라고 생각하는 것들의 집합체다. 그러나 슈렉은 자신의 모습에 열등감을 느끼기는 커녕 오히려 자랑스럽게 생각하며 씩씩하게 생활한다. 대부분의 사람은 사회적인 관점에 따라 착하고 예쁜 공주를 찾아 결혼하지만, 슈렉은 자신의 기준대로 선택하고 결혼한다. 슈렉은 눈치보지 않고 당당하다. 슈렉의 이러한 당당함은 우리가 본받고 싶은 모습이다. 그래서 슈렉은 그림책을 넘어서 영화뿐 아니라 문화 전반에 영향력을 끼치는 힘 있는 캐릭터가 되었다.

정보책에서도 개성 넘치는 캐릭터를 만날 수 있다. 『신기한 스쿨 버스: 허리케인에 휘말리다 *The Magic School Bus: Inside A Hurricane*』(1999)가 수많은 독자들의 사랑을 받는 이유는 바로 프리즐 선생님이라는 새롭고 독특한 캐릭터 때문이다. 프리즐 선생님은 우리가 일반적으로 생각해 왔던 선생님과는 다르다. '선생님' 이라고 하면 단정한 외모에 규칙과 질서를 강조하고, 칠판에 또박또박 글씨를 쓰면서 설명을 하고 가르치는 모습을 떠올리게 된다. 하지만 프리즐 선생님은 외모에서부터 우리가 아는 선생님과는 매우 다르다(책 속의 그림을 잘 살펴보자).

3-8. 『신기한 스쿨 버스: 허리케인에 휘말리다』(조애너 콜 글, 브루스 디건 그림, 이강환 옮김, 비룡소, 1999). 프리즐 선생님과 반 아이들이 허리케인 속으로 들어가서 재미있는 경험을 하는 이야기다.

여러 가지 무늬가 있는 옷을 입고, 독특한 장식의 신발을 신으며, 도마뱀을 데리고 다닌다. 게다가 교실에서 수업을 하지 않고 아이들을 이상한 고물버스에 태워서 신기한 곳으로 데리고 간다(정말 학교 수업이 그렇다면 얼마나 좋을까? 아이들이 모두 학교에 가고 싶어 안달이 날 텐데……). 프리즐 선생님은 아이들에게 자신이 아는 사실을 설명하는 지식의 전달자가 아니라, 아이들이 직접 지식을 체험할 수 있게 해 주는 경험의 안내자다. 선생님은 고물버스를 이용하여 아이들이 지식을 탐색하고 체험할 수 있는 공간으로 데려다 주는데, 버스는 상황에 따라 꿀벌로, 기구로, 우주선으로, 잠수함으로 변한다. 선생님의 옷과 장신구도 상황이나 장소에 따라 변한다. 프리즐 선생님은 겉모습은 어른이지만 내면은 아이들처럼 모험을 두려워하지 않고, 상상의 세계로 아이들을 이끈다. 프리즐 선생님은 아이들에게 정보를 탐색하고 탐구하는 것을 즐기게 만드는 견인차 역할을 한다.

캐릭터에서 중요한 역할을 하는 의상이나 소품은 글작가의 영역이 아니라고 생각할지도 모른다. 물론 조애너 콜과 브루스 디건의 역할 분담이 어떠했는지 자세히 알 수는 없지만, 적어도 캐릭터를 창조하여 책을 쓰고자 하는 작가라면 주인공의 성격이나 말투, 의상과 소품 등도 염두에 두어야 한다. 이것은 이야기가 있는 정보책을 쓰고자 하는 작가에게 꼭 필요한 과정이다.

『달 사람 *Moon Man*』(1996)은 주변에서 볼 수 있는 사람이나 동물 혹은 사물이 아니라 작가가 새롭게 창조한 환상적인 캐릭터다. 작가는 독자의 상식을 뒤엎음으로써 환상적인 캐릭터를 창조하였다. 보통 판타지는 현실 세계에서 미지의 세계로 간다. 그러나 달 사람은 미지의 달나라에서 지구로 온다. 또한 사람들은 달에 대해 궁금해하고 동경하는데, 달 사람은 지구를 동경한다. 작가는 과학적인 대상으로 바라보았던 무생물인 달에 생명력을 부여하여 인간과 같은 형상을 표현함으로써 우리가 전에는 생각하지 못했던 독특한 캐릭터를 만든 것이다.

오래전 사람들은 달을 생명이 존재하는 신비로운 곳으로 인식하였다. 작가는 이러한 달의 이미지를 바탕으로 달의 속성과 사람의 속성을 동시에 가지고 있는

3-9. 『달 사람』(토미 웅거러 글 · 그림, 김정하 옮김, 비룡소, 1996). 달에 살던 달사람이 지구에 와서 모험을 한 뒤, 다시 달로 돌아가는 이야기다.

캐릭터를 창조하였다. 작가는 달의 차고 기우는 모습과 호기심과 외로움을 느끼는 사람의 감정을 달 사람을 통해 표현하고 있다. 그래서 독자는 달 사람에게 공감할 수 있다. 우리에게 달은 매우 친숙한 존재다. 이 그림책을 읽은 어린이는 달에 토끼가 살고 있다고 생각하기보다는 달 사람이 웅크리고 있다고 생각하게 될지도 모르겠다. 많은 어린이들이 달을 볼 때마다 달 사람을 떠올린다면 어린이들에게 달 사람은 인상적인 캐릭터로 자리잡은 것이다. 새롭고 환상적인 캐릭터를 만들어 보고자 한다면, 이렇게 늘 보던 것들을 전혀 다른 관점에서 보려고 노력해야 할 것이다.

그림책에는 우리가 생각지도 못했던 주인공이 등장하는 경우도 있다. 『알파벳 나무 *The Alphabet Tree*』(2005)는 나무 이파리에 사는 알파벳들이 주인공이다. 나뭇잎 위에 사는 알파벳들은 폭풍을 만나 날아가는 시련을 겪게 되고, 살아남은 알파벳들은 나무 중앙에 모여 두려움에 떨게 된다. 어느 날 벌이 날아와서 세찬 바

3-10. 『알파벳 나무』(레오 리오니 글·그림, 이명희 옮김, 마루벌, 2005). 낱글자들은 나약하지만 결합하면 강해질 수 있으며, 큰 의미도 만들 수 있다는 것을 보여 준다.

람에 살아남기 위해서는 모여서 '단어'를 만들면 된다고 가르쳐 준다. 처음에는 단어로 시작하여 문장을 만들게 되고, 단순한 문장은 의미 있는 문장이 되어 대통령에게 전달된다. 나약하고 보잘것없던 알파벳은 인류 평화를 주장하는 의미 있는 일에 동참하게 된다.

알파벳을 주인공으로 쓰겠다는 발상은 참으로 신선하다. 누가 글자를 이야기의 주인공으로 쓸 수 있다고 생각이나 했겠는가? 이 책의 캐릭터인 알파벳은 언어가 강력한 힘을 가지고 있다는 메시지를 전달하고 있다. 주인공 알파벳은 자신이 얼마나 가능성이 있는지 알지 못할 때에는 그저 부는 바람에도 겁을 먹는 알파벳 중의 하나에 불과하였다. 그러나 다른 알파벳과 모이는 순간에 의미 있는 단어를 만들 수 있고, 그 단어는 문장을 만들 수 있으며, 한 권의 책이 될 수도 있고, 그 책은 수많은 사람들에게 의미와 감동을 줄 수 있다. 이것은 글자에만 해당하는 것이 아니라, 사람들이 처한 모든 상황에도 접목될 수 있다. 자신이 그저 개별적이고 힘이 없는 하나가 아니라, 함께하면 무한한 잠재력을 발휘할 수 있는 존재라는 것을 아이들과 어른들 모두에게 전달한다.

이렇게 남들이 쉽게 생각하지 못했던 독창적인 캐릭터를 만들어 보고 싶다면, 무생물을 포함하여 우리가 보는 모든 것들에 다 의미를 부여해 보는 것도 좋다. 또는 일반적으로 독자가 싫어하거나 기피하는 것들이 갖는 의미나 가치에 대해 새로운 시각으로 접근해 보는 것도 도움이 된다.

독특하고 개성이 넘치는 주인공들은 우리의 본능 속에 있지만 외부적인 시선들 때문에 하지 못했던 것들을 해 주기도 하고, 우리가 하기에는 불가능한 것을 대신 말해 주고 행동하기도 하며, 우리가 경험하고 싶은 상상의 것들을 대신 체험해 준다. 특별한 말, 의상, 행동은 캐릭터의 개성을 한껏 살려 줄 수 있음을 기억하자. 자신만의 특별한 캐릭터는 우연히 누군가를 만나듯이 다가올 수 있다. 그러나 캐릭터를 구체화하는 것은 하루 아침에 이루어지지 않고 오랜 생각과 고민을 통해 완성된다. 이렇게 해서 완성된 캐릭터는 우리에게 기쁨을 주고 오래 기억되며 사랑받게 될 것이다.

4) 이상적인 성품을 지닌 캐릭터

부모는 자녀가 이상적인 성품을 갖기를 바란다. 그래서 그림책을 고를 때도 그런 성품을 가진 캐릭터가 등장하는 그림책을 선호한다. 그렇다면 이상적인 성품을 가진 캐릭터란 무엇인가? 그것은 답답하고 개성 없는 캐릭터가 아니라, 자신에게 닥친 여러 가지 문제들에 맞서 갈등하며 고민하는 가운데 바람직한 해결책을 찾으려고 적극적으로 노력하는 캐릭터를 말한다.

『치과 의사 드소토 선생님 *Doctor De Soto*』(1995)에 등장하는 드소토 선생님은 이상적인 성품을 갖고 있다. 생쥐라서 여우에게 잡아먹힐지도 모르지만, 의사라는 직업의식을 갖고 지혜롭게 대처하여 여우도 치료하고 자신과 아내의 생명도

3-11. 『치과 의사 드소토 선생님』(윌리엄 스타이그 글 · 그림, 조은수 옮김, 비룡소, 1995) 지혜로운 치과 의사 드소토 선생님이 교활한 여우의 이도 고쳐 주고 위기에서도 벗어난다는 이야기다.

구한다.

이 책은 드소토 선생님뿐 아니라 여우와 생쥐라는 두 동물의 생태와 특징을 실감나게 표현함으로써 매력적인 캐릭터를 만들었다.

생쥐 부부는 치과 의사와 간호사다. 생쥐는 작고 약하나 지혜가 있고, 여우는 크고 강하지만 교활하다. 게다가 생쥐같이 작은 동물을 먹는다. 이 두 캐릭터 간의 밀고 당기는 신경전이 이 책의 가장 큰 묘미다. 다른 동물을 캐릭터로 설정했다면, 이렇게 재미있는 이야기는 나오지 않았을 것이다. 치료를 위해서 여우의 입에 들어갈 수밖에 없는 드소토와 잡아먹고 싶어서 안달이 났지만 이가 아파서 이러지도 저러지도 못하는 여우의 본능 사이에서 벌어지는 갈등은 이야기 자체를 흥미진진하게 이끌어 가는 동시에 캐릭터를 매력적으로 만드는 요소다. 위기는 이상적인 캐릭터를 빛나게 한다. 자신의 목숨을 지킬 것인지 의사로서의 본분을 지킬 것인지 결정해야 하는 위기의 순간에 드소토는 하나를 선택하고 다른 하나를 포기하는 것이 아니라 지혜를 발휘하여 두 가지 모두를 지켜 낸다.

이상적인 성품을 지닌 캐릭터는 대부분 부모들만 좋아할 것이라는 선입견이 있다. 물론 드소토가 보여 준 지혜롭고 올바른 모습은 부모들이 바라는 이상적인 모습이다. 그러나 작고 나약한 생쥐에게 일어난 모험과 같은 이야기는 어린이들에게도 짜릿한 성취감을 맛보게 한다. 이러한 이유로 드소토는 부모들뿐 아니라 어린이들도 충분히 좋아하고 좋아할 수 있는 캐릭터인 것이다.

『용감한 아이린 *Brave Irene*』(2000)에 등장하는 소녀 아이린도 이상적인 성품을 지닌 주인공이다.

아이린은 매서운 추위와 휘몰아치는 바람에도 실망하거나 좌절하지 않고 엄마가 만든 드레스를 공작부인에게 무사히 전달한다. 아이린은 어려움 속에서도 용기를 잃지 않고, 포기하지 않으며 끝까지 주어진 일을 마치려고 노력하는 책임감

3–12. 『용감한 아이린』(윌리엄 스타이그 글 · 그림, 김서정 옮김, 웅진주니어, 2000). 아이린이 폭풍우 속에서도 엄마의 심부름을 끝까지 마친다는 이야기다.

있는 아이다. 이것은 부모가 자녀에게 바라는 이상적인 모습이다. 어려움이 닥쳤을 때 슬기롭고 용기 있게 대처할 수 있는 아이는 별로 없을 것이다. 하지만 그림책은 닮을 만한 가치가 있는 이상적인 모델을 보여 줄 수 있다.

그러나 이상적인 품성을 가진 캐릭터를 설정하고자 할 때는 고려해야 할 점이 있다. 너무 교훈적이거나 교과서적인 캐릭터는 매력이 없다. 드소토 선생님이 매력적인 이유는 아이처럼 두려움에 잠을 못 이루고 걱정하기 때문이며, 아이린이 매력적인 이유는 특별한 재능이 있거나 능력이 뛰어난 것이 아니라 주변에서 볼 수 있을 법한 아이의 모습이기 때문이다. 이렇듯 이상적인 성품을 가진 캐릭터를 설정할 때에도 항상 어린 독자의 눈높이와 마음도 고려해야 한다.

5) 작품 안에서 대비되는 캐릭터

서로 반대되는 성격의 주인공을 등장시키는 것은 두 캐릭터를 모두 돋보이게 해 준다. 『검피 아저씨의 드라이브 *Mr. Gumpy's Motor Car*』(1996)와 『검피 아저씨의 뱃놀이 *Mr. Gumpy's Outing*』(1996)에는 서로 대비되는 성격을 가진 두 유형의 주인공이 등장한다. 이성적이며 관대한 성인의 모습을 상징하는 검피 아저씨와 본능적이고도 이기적인 특성을 가진 아이들과 동물들이 대조를 이룬다. 말 안 듣고, 장난치기를 좋아하는 어린이의 특성을 상징하는 토끼, 고양이, 개, 돼지, 양, 닭, 송아지, 염소의 등장은 그 자체만으로도 어린이들에게 재미를 느끼게 해 준다.

두 가지 유형의 캐릭터를 동시에 보여 주는 것은 독자에게 긴장감과 즐거움을 제공하는 역할을 한다. 또한 마지막 부분에서 검피 아저씨가 아이들과 동물들을 포용하는 것을 보여 줌으로써 안정감과 따뜻한 느낌도 전해 준다. 이렇게 상반되는 캐릭터를 적절히 사용하면 대비되는 캐릭터 모두를 매력적으로 만들어 낼 수 있다. 따라서 캐릭터를 고려할 때 대비되는 캐릭터의 속성을 부여해 보는 것도 바람직하다.

3-13 『검피 아저씨의 드라이브』(존 버닝햄 글 · 그림, 이주령 옮김, 시공주니어, 1996). 검피 아저씨와 개구쟁이 동물들의 유쾌한 드라이브를 다루고 있다.

3-14 『검피 아저씨의 뱃놀이』(존 버닝햄 글 · 그림, 이주령 옮김, 시공주니어, 1996). 검피 아저씨와 동물들이 뱃놀이를 하는 동안 벌어지는 재미있는 모험을 다루고 있다.

3-15. 『동물원』(이수지 글 · 그림, 비룡소, 2004) 동물원이라는 공간을 즐기는 아이와 부모의 모습을 상징적으로 보여 준다.

『동물원』(2004)에도 대비되는 캐릭터가 등장한다. 부모 캐릭터는 현실 세계에 살면서 눈에 보이는 것에 집중하고, 아이와 동물 캐릭터는 상상 세계에 살면서 눈에 보이지 않는 것을 본다. 이 캐릭터들은 서로 다른 생각이나 감정의 차원에서 대비되고, 그것에서 즐거움을 느낀다. 현실 세계에 사는 부모는 아이에 대한 책임감과 의무감으로 동물원에 왔을 것이다. 부모에게 동물은 관심 밖의 대상이기 때문에 눈에 보이지도 않고, 즐기지 못하며, 아이를 따라 다니느라 지치고 피곤한 모습이다. 반면에 상상 세계에 사는 아이는 동물과 신나게 놀고 동물원에서 마음껏 즐긴다. 본문을 잘 살펴보면 아이와 동물들은 화려한 색상으로 표현하지만, 부모는 오직 흑백으로만 표현한다. 색상의 대비는 즐기지 못하는 부모와 즐기고 있는 아이를 극명하게 보여 준다. 이 책에서 색상의 대비가 주는 가장 큰 장점은 어린이와 어른 독자에게 상대방의 입장을 생각해 보게 한다는 것이다. 이렇게 동일한 시간과 장소에 존재하는 주인공들이 느끼는 각기 다른 생각의 차이는 오래 기억될 캐릭터를 구상하기 위해 고려해 볼만하다.

3-16. 『엄마가 알을 낳았대!』(배빗 콜 글 · 그림, 고정아 옮김, 보림, 2003). 아이가 태어나는 과정을 익살스럽게 표현하고 있다.

『엄마가 알을 낳았대! *Mummy Laid an Egg*』(2003)에는 정보를 설명하는 인물이 부모와 아이들로 대비되어 등장한다. 이 책은 서로 상반되는 부모와 아이들의 캐릭터를 통해 정보 전달의 방식뿐 아니라 성에 대한 두 가지 인식의 차이를 보여 주고 있다. 부모는 성에 대한 아이들의 질문에 당황해하고 회피하려고 하지만, 아이들은 성에 대해 호기심을 가지고 정확하게 알고 싶어 한다.

부모는 아이들을 어리게 보고 성에 대한 정보를 사실적으로 전달하지 않는 반면, 똑 부러지고 당찬 아이들은 정확한 정보를 알고 있으며 이를 말하는 데 전혀 거리낌이 없다. 어린이들은 사람의 성과 아기의 탄생을 포유류의 탄생까지 확대시킬 만큼 사실적이고 구체적인 정보를 알고 있다. 이런 대비되는 캐릭터는 이야기에 대한 관심과 홍미를 갖게 할 뿐 아니라 이 책이 말하고자 하는 '성'에 대해 어떻게 인식하고 접근하는 것이 더 적합한지도 생각해 보게 한다. 정보책에서도 정보뿐 아니라 그 정보를 전달하는 주인공의 캐릭터에 대해서 깊이 고민을 한다면, 독자에게 오래 기억되는 정보책을 쓸 수 있을 것이다.

이와 같이 상반된 캐릭터는 반대되는 캐릭터를 더욱 돋보이게 한다. 그래서 이야기를 흥미롭게 만드는 요소가 된다. 그러므로 그림책을 쓸 때는 서로 상반되는 특징을 가진 캐릭터를 만들어 보는 것도 좋은 방법이다.

제3장에서는 그림책에서 만날 수 있는 다양한 주인공의 특징에 대해 알아보았다. 현실 세계에서 다양한 사람들이 어우러져 살아가듯이, 그림책에서도 다양한 캐릭터가 존재한다. 캐릭터들은 각자 개성을 지니고 있어야 하며 실제 존재하는 것처럼 생동감이 있어야 한다. 그러므로 그림책을 쓸 때, 어떤 주인공을 등장시키고 어떤 성격으로 묘사할 것인가 늘 고민해 보아야 한다. 주인공의 특성이 얼마나 매력적으로 다가오는가에 따라서 독자는 책을 선택하고, 마음속에 오래 새기게 된다. 아주 매력적인 캐릭터를 만났을 때, 독자는 주인공처럼 말하고, 생각하며, 행동하기도 한다. 생동감 있는 캐릭터는 독자의 기억에 오래 남을 것이다. 그것이 매력적인 캐릭터다. 다양한 캐릭터에 대해 알아보았다면 이제 연습을 해보자. 그러면 자신이 생각한 캐릭터가 더 구체화될 것이다.

처음부터 매력적인 캐릭터를 설정하는 것은 쉽지 않다. 기존의 작품을 통해 캐릭터의 여러 요소에 대해 분석해 보고 자신이 생각하는 캐릭터를 구체화해 보자.

• **기존 작품에 나와 있는 캐릭터 분석하기**

『빈집 탐험대』(2008)에 등장하는 캐릭터들을 분석해 보자.

등장인물

등장인물: 엄마들
중심 주인공: 아이들 네 명, 강아지

성별: 남자아이 셋, 여자아이 둘
관계: 한 동네에 사는 친구들

가족관계: 아이들에게 잔소리하는 부모, 특히 엄마. 놀이를 좋아하지만 제재받는 아이들

배경: 비어 있는 단독 주택

사는 곳: 평범한 동네 주택 단지

경제적 수준: 중류층

갈등 1: 놀이를 이해하지 못하고, 재제가 많은 엄마. 마음껏 놀 수 없는 좁은 집
문제 해결: 빈집을 찾음

갈등 2: 조용한 빈집에서 귀신이 나올지도 모른다는 두려움
문제 해결: 놀이에 몰입함으로써 두려움을 이겨 냄

등장인물의 욕구와 결핍: 놀이에 대한 욕구를 마음껏 분출하지 못함. 마음껏 놀 수 있는 공간의 부족

등장인물의 특징: 우리 주변에서 쉽게 만날 수 있는 평범한 모습의 아이들과 부모
여아 1: 그림 그리기를 좋아하여 이곳저곳에 낙서를 하고 다님. 게다가 강아지를 끌고 다니며 문제를 일으킴
남아 1: 야구방망이를 휘두르며 놀다가 집안 물건을 자주 깨뜨림. 장난감 총을 갖고 노는 것을 좋아함. 겁이 없고 앞장서기를 좋아함
남아 2: 수집하는 것을 좋아함. 집안에 있는 자질구레한 것들을 잠자리채 안에 있는 대로 주워 담음
여아 2: 빨랫줄을 들고 다니며 집안에 있는 온갖 물건들을 묶어 놓기 좋아함. 겁이 많아 귀신을 무서워함. 안경 착용
남아 3: 냄비, 그릇 등을 두드리면서 노는 것을 좋아함. 음악성이 있음
강아지: 여아 1을 따라 다니는 아이의 놀이친구
엄마들: 아이들의 놀이를 이해하지 못하고 매일 잔소리함

연령: 6세~초등 1, 2학년

• 자신의 작품에 어울리는 캐릭터 만들어 보기

1-1. 당신이 쓰고 싶은 글에 어울리는 캐릭터를 떠올려 보자.
다음의 표에서 자신이 생각하는 캐릭터를 찾아 ○표 한다. 중복된 이미지도 상관없다. 떠오르는 모든 것에 표시해 보자. 그러면 자신이 만들고 싶은 캐릭터를 더 잘 이해할 수 있을 것이다.

<table>
<tr><td rowspan="2">사 람</td><td colspan="3">남자 어른</td><td colspan="2">여자 어른</td></tr>
<tr><td colspan="3">남자아이</td><td colspan="2">여자아이</td></tr>
<tr><td rowspan="2">동 물</td><td colspan="3">아빠 이미지의 동물</td><td colspan="2">엄마 이미지의 동물</td></tr>
<tr><td colspan="3">남자아이 이미지의 동물</td><td colspan="2">여자아이 이미지의 동물</td></tr>
<tr><td>무생물</td><td colspan="3">움직이는 사물</td><td colspan="2">고정된 사물</td></tr>
<tr><td>식 물</td><td>씨앗</td><td>풀</td><td>꽃</td><td>열매</td><td>나무</td></tr>
<tr><td>환상적인 인물</td><td colspan="3">환상적인 남성인물</td><td colspan="2">환상적인 여성인물</td></tr>
<tr><td>환상적인 동물</td><td colspan="3">서양의 상상 동물</td><td colspan="2">동양의 상상 동물</td></tr>
</table>

1-2. 자신이 표시한 캐릭터를 곰곰이 생각해 보자. 떠오르는 이미지를 단어나 문장으로 바꾸어 10개 이상 열거해 본다.
예) 여우: 영리하다, 교활하다, 꼬리가 탐스럽다, 사뿐사뿐 걷는다, 얄밉다, 구미호, 신포도, 하얀 발, 세모 귀, 동굴에서 산다, 육식이다 등

1-3. 떠오른 이미지가 자신이 쓰고자 하는 글의 캐릭터와 맞는지 확인해 본다.
만약 적합하다면 그대로 진행하고, 아니라면 캐릭터를 다시 설정해 보자.

2. 당신이 쓰고 싶은 캐릭터가 가진 결핍과 욕구는 무엇인지 체크해 보자.
그러면 자신의 캐릭터가 훨씬 더 구체적으로 다가올 것이다.

번 호	결핍과 욕구	체 크
1	부모 중 한 사람이 없다.	
2	부모가 없다.	
3	조부모와 함께 산다.	
4	부모와 갈등이 있다.	
5	형제와 갈등이 있다.	
6	경제적으로 어렵다.	
7	경제적으로 너무 부유하다.	
8	키가 작다.	
9	못생겼다.	
10	뚱뚱하다.	
11	장애가 있다.	
12	친구들과 갈등이 있다.	
13	이사, 자연재해 등 환경에 변화가 있다.	
14	겁이 많고 두려움이 있다.	
15	호기심이 많다.	
16	주변으로부터 이해받지 못한다.	
17	신체적 · 정신적으로 위협을 당한다.	
18	자신의 정체성을 찾지 못한다.	
기타	그 외의 결핍과 욕구:	

3. 지금까지 알아본 내용을 종합하여 자신이 만들고 싶은 캐릭터를 다음 칸에 구체적으로 적어 보자.

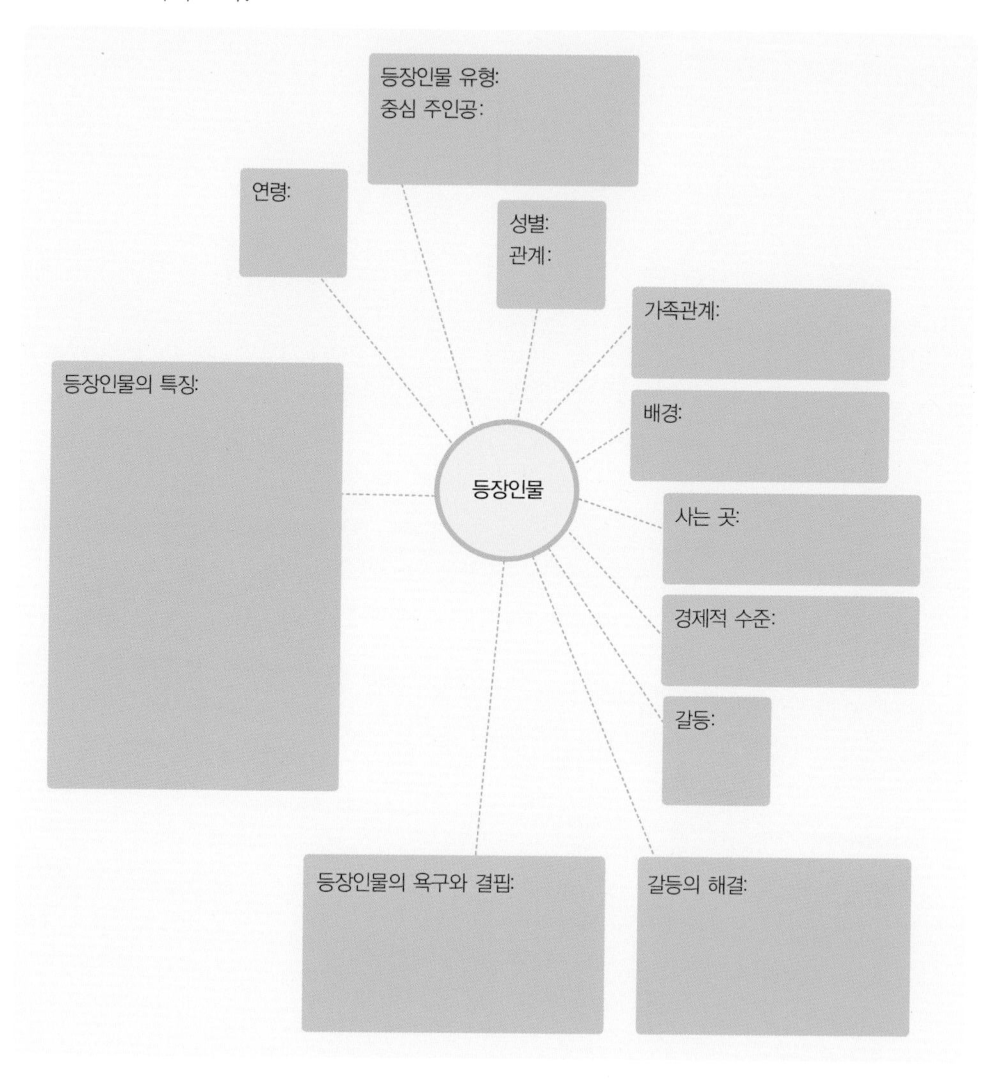

4

누구의 목소리로 말할 것인가

이야기를 전달하는 목소리는 문학을 색다르게 만드는 요소다.
목소리는 책의 분위기를 좌우하며,
문학적으로 새로운 시도가 가능하기 때문이다.

4. 누구의 목소리로 말할 것인가

캐릭터가 이야기를 매력적으로 이끄는 매개체라면, 이야기를 전달하는 목소리는 문학을 색다르게 만드는 요소다. 화자, 즉 내레이터에 따라 책의 분위기나 서술 방식이 달라지기 때문이다. 어떤 이야기를 쓸 것인지, 어떠한 캐릭터를 등장시킬 것인지 결정했다면 이야기를 누가 전달할 것인지도 고민해 보아야 한다. 이야기그림책이라면 이야기를 효과적으로 전달할 수 있는 목소리를 선택해야 할 것이고, 정보그림책이라면 정보를 효과적으로 전달할 수 있는 목소리를 선택해야 할 것이다. 그러나 이것은 단순히 전달의 차원을 넘어선다. 책의 이야기나 정보를 전달하는 목소리는 책의 분위기를 좌우하며, 문학적으로 새로운 시도도 가능하기 때문이다.

1) 전지적 작가의 목소리로 말하기

처음 글을 쓰는 사람이라면 대부분 전지적 작가를 화자로 택할 것이다. 전지적 작가의 목소리는 모든 것을 알고 있는 전지전능한 시각으로 작품과 캐릭터를 바라보기 때문에 작가 마음대로 요리하기가 쉽다.

『부러진 부리 *The broken bicks*』(2004)는 전지적 작가가 이야기를 전달하고 있어서 꼬마참새와 다른 참새들의 행동과 심리를 잘 보여 준다. 어느 날 꼬마참새는 부리가 부러져서 먹이를 먹을 수 없게 되지만 아무도 꼬마참새를 도와주지 않는다. 꼬마참새는 점점 야위어 가고 모두가 외면하는 볼품없는 외모가 되고 만다. 그러던 중 꼬마참새가 아주 커다란 빵 조각을 발견하고 다가갈 때 외톨이아

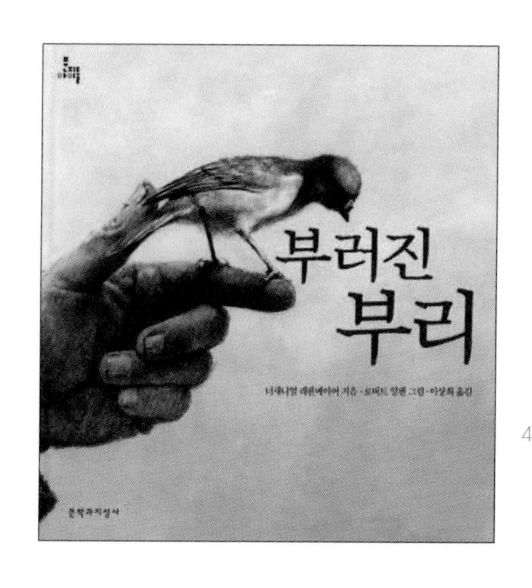

4-1. 『부러진 부리』(너새니얼 래첸메이어 글, 로버트 잉펜 그림, 이상희 옮김, 문학과지성사, 2004). 어느 날 갑자기 부리가 부러진 참새의 이야기를 통해 사회적 약자의 모습을 다루고 있다.

저씨를 만난다. 꼬마참새는 외톨이아저씨도 마음의 부리가 부러진 걸 눈치 챈다. 서로의 아픔을 이해한 꼬마참새와 외톨이아저씨는 부리가 반듯한 세상을 꿈꾸며 공원 의자에서 잠이 든다. 이처럼 모든 것을 알고 있는 작가의 목소리는 꼬마참새의 불행과 다른 참새들의 생각까지도 독자에게 빠짐없이 전달하고 있다. 후반부에 등장하는 외톨이아저씨와 꼬마참새의 교감, 그 둘을 바라보는 사람들의 시선, 외톨이아저씨와 꼬마참새의 꿈까지 친절하게 말해 주고 있는 것이다. 전지적 작가는 알고 있는 모든 것을 독자에게 말해 주므로 독자는 작품을 쉽게 이해할 수 있다. 이 그림책의 장점은 꼬마참새나 외톨이아저씨에 대한 감정이 독자에게 모두 전달되는 것이다. 독자는 결말 이후의 이야기가 궁금하긴 해도 읽는 도중에 상상력을 펼칠 필요가 없다. 자분자분 들려주는 이야기를 들으며 외톨이아저씨와 참새의 꿈에 깊이 공감하면 되는 것이다. 만약 이 책의 화자가 관찰자라면 꼬마참새의 마음과 다른 참새들의 생각을 이만큼 효과적으로 전달할 수 없었을 것이다.

4-2. 『빈터의 서커스』(찰스 키핑 글 · 그림, 서애경 옮김, 사계절, 2005). 스콧과 웨인이라는 아이가 빈터에 찾아온 서커스를 보고 난 뒤, 두 아이에게 일어난 변화에 대해 이야기하고 있다.

『빈터의 서커스 *Wasteground Circus*』(2005)는 전지적 작가의 장점을 아주 잘 보여 주는 책이다. 웨인과 스콧이 겪은 동일한 경험이 두 아이에게 어떻게 영향을 미쳤는지 마지막 장면을 보면서 독자는 알 수 있다. 이는 전지적 작가의 목소리만이 보여 줄 수 있는 매력이다. 그림책은 그림과 글을 분리할 수 없다. 이 장면에서도 웨인은 흑백, 스콧은 색상으로 표현되어 두 아이의 내면에 일어난 변화를 독자가 시각적으로 구별할 수 있게 해 준다.

정보그림책도 전지적 작가의 목소리로 전달하면 작가의 입장에서 자세한 정보를 전달할 수 있다. 특히 감정을 알 수 없는 동물이나 식물의 경우 작가의 생각을 담아내면 독자가 훨씬 더 이해하기 쉽다. 『선인장 호텔 *Cactus Hotel*』(1995)을 예로 들어보자. 작가는 '사구아로 선인장'의 생태와 선인장에 집을 짓고 사는 동물들의 생각과 행동을 전지적인 목소리로 전달하고 있다. 그래서 어린 독자는 다소 어려울 수 있는 동식물의 생태를 다른 목소리보다 쉽게 받아들일 수 있다. 사구아

4-3. 『선인장 호텔』(브렌다 기버슨 글, 메건 로이드 그림, 이명희 옮김, 마루벌, 1995). 사구아로 선인장의 생태와 더불어 사는 동물들의 모습을 보여 준다.

로 선인장의 씨가 어떻게 뿌려지고, 성장하는 데 얼마나 긴 시간이 필요한지, 얼마나 크게 자라나고, 선인장에는 누가 와서 사는지 또 죽은 뒤에는 어떻게 되는지를 잘 설명하고 있다. 『선인장 호텔』을 읽고 나면 우리가 알지 못했던 사구아로 선인장에 대해 많은 것을 알 수 있게 된다.

전지적 작가의 목소리는 참으로 친절하다. 전채부터 후식까지 잘 차려진 코스 요리같다. 음식을 먹고 나면 빠진 것이 없으므로 부족함도 없다. 전지적 작가는 독자가 의심을 갖기 전에 독자가 알아야 할 것들을 빠짐없이 잘 전달하고 있다. 그러나 독자의 입장에서 모르는 것이 없다는 것은 독자가 책을 읽으며 상상력을 펼칠 기회가 적다는 것이다. 즉, 꽉 채워진 것에는 무엇인가 채워 넣기 힘든 법이다. 우리는 누구나 쉽게 사용하는 방법에서 탈피하여 새로운 시도를 해 볼 필요가 있다.

2) 작가가 중심 캐릭터에게 말 걸기

화자가 전지적 작가일지라도 약간의 변형이 가능하다. 작가가 설정한 대상에게 말을 걸어 보자. 작가는 모든 것을 알고 있지만 캐릭터에게 시선을 집중시키는 작업만으로도 신선함을 줄 수 있다. 또한 대상에게 말을 거는 방법은 지루한 서술에서 벗어나 원고 자체에 생동감을 부여할 수 있다.

『곰아 *KUMA YO!(Griizzly Bear!)*』(2004)는 호시노 미치오가 곰을 따라다니며 찍은 사진과 사진에 적힌 메모로 구성되어 있다.

4-4. 『곰아』(호시노 미치오 글 · 사진, 진선, 2004). 대자연 속에 살아가는 곰의 모습을 사진으로 담았다.

작가의 목소리를 한 번 들어보자.

> 무심코 앞을 봤을 때
> 수풀 속에
> '이거 어쩌지?' 하는 얼굴로
> 네가 앉아 있었어.
> 나도 어쩔 줄 몰라
> 꼼짝도 않고 서 있었지.
>
> 서로 마주 본 채
> 얼마나 시간이 흘렀을까

내 귀에 가늘게
너의 숨소리가 들렸어.

이 책의 작가는 지금까지 보아 온 전지적 목소리로 이야기하지 않는다. 만약 전지적인 목소리로 이야기했다면 곰과 독자의 거리가 멀게 느껴지겠지만, 작가가 곰에게 말을 거는 방법으로 전달하고 있기 때문에 곰과 독자의 거리가 가깝게 느껴진다. 작가와 마찬가지로 독자는 곰과 마주 보고 있는 것처럼 느껴지기 때문이다. 이 작품은 45세에 곰에게 습격을 받고 죽은 작가의 유고작이다. 곰에게 건네는 작가의 말은 곰의 야생생활과 감정을 읽고 있는 듯하다. 생생한 사진과 함께 그의 메모들은 그가 얼마나 곰과 가까이 있고 싶어 하며 소통하고 싶어 하는지 잘 보여 주고 있다. 따라서 독자 또한 책을 읽으며 대자연 속에서 곰과 소통하는 것 같이 느끼게 된다.

어떠한 대상에게 말을 건다는 것은 일반적인 서술과는 다른 매력을 준다. 그러나 여기서 주의해야 할 것은 한꺼번에 여러 대상에게 말을 걸어 독자에게 혼란을 주지 않도록 하는 것이다. 여러 개의 실로는 하나의 목걸이를 만들 수 없다. 하나의 실에 구슬을 꿰어야 목걸이를 만들듯이, 하나의 대상을 바라보고 일관성 있게 말을 걸면 이야기도 통일감 있게 완성할 수 있다.

3) 관찰자가 말하기

하나의 캐릭터를 관찰자로 선택하여 이야기를 이끄는 방법도 있다. 그림책에서 관찰자는 성인 소설과 달리 글과 그림이 상호작용하면서 보여 주는 관찰자적 입장을 취하고 있어서 이 둘을 고려하며 읽어야 한다. 이는 그림책이 성인 소설과는 읽기의 방법과 표현 방식이 전혀 다름을 말하고 있는 것이다. 관찰자는 상대방의 생각이나 마음은 알 수가 없다. 다만 독자는 관찰자의 눈으로 관찰 가능한 행동이나 배경, 사건 등을 유추할 수 있을 뿐이다. 이러한 경우에 보이는 것 이면의 사건이나 감정은 독자가 채워 넣을 수밖에 없다. 그러므로 독자는 그림책을 읽는 동안 전지적인 목소리보다 상상력을 더할 수 있다.

『벤의 트럼펫 *Ben's Trumpet*』(2006)은 음악을 좋아하고 트럼펫을 불고 싶어 하는 아이의 이야기다. 이 작품은 주인공 벤의 마음과 생각, 그가 사는 세계로 독자를 따라가게 한다. 그러므로 독자는 벤이 느끼는 밤공기, 벤이 바라보는 연주자들, 벤이 듣는 악기 소리, 벤의 흥겨움, 벤의 좌절 그리고 벤의 환희를 벤과 함께 느낄 수 있다. 여기에 더해지는 그림은 글과 절묘한 조화를 이루어 음악을 어떻게 시각적으로 영상화시키는지 잘 보여 주고 있다.

4-5. 『벤의 트럼펫』(레이첼 이사도라 글·그림, 이다희 옮김, 비룡소, 2006). 트럼펫을 불고 싶은 아이의 눈으로 바라 본 음악세계를 담고 있다.

정보책에서도 관찰자의 목소리로 정보를 전달할 수 있다. 어린이 관찰자를 사용할 경우 정보를 어린이의 눈높이에서 바라보기 때문에 어린 독자는 정보를 훨씬 쉽게 이해할 수 있다.

『투발루에게 수영을 가르칠 걸 그랬어!』(2008)는 이야기가 있는 환경그림책이다. 지구온난화로 인해 사라져 가는 투발루 섬을 로자라는 여자아이의 눈을 통해 바라보고 있다. 작가는 투발루라는 섬의 이름과 고양이의 이름을 동일하게 설정하여 투발루 섬과 수영을 못하는 고양이에 대한 안타까움을 동시에 담아내고 있다. 로자의 눈에 비친 투발루 섬의 풍경은 다시 볼 수 없기에 아름답기만 하다. 비행기 출발 시간은 다가오고 고양이는 찾을 수 없다. 물에 잠기고 있는 투발루 섬에 물을 싫어하는 고양이가 남겨진다는 것은 그야말로 비극이다. 작가는 어린 로자를 관찰자로 설정함으로써 환경파괴가 가져다 준 투발루 섬의 비극이 얼마나 잔인한 것인지 효과적으로 전달하고 있다.

만약 작가가 고양이를 관찰자로 설정하였다면 어떻게 되었을까? 고양이의 눈으로 투발루를 바라보았다면, 지구온난화와 투발루 섬이 잠기는 것 사이의 상관관계를 독자에게 이해시키는데 어려움이 있었을 것이다. 또한 전지적인 시점으로 바라보았다면 환경문제를 다소 교훈적으로 다루어 지루한 느낌을 주었을

4-6. 『투발루에게 수영을 가르칠 걸 그랬어!』(유다정 글, 박재현 그림, 미래아이, 2008). 지구온난화로 사라져가는 투발루 섬을 어린 로자의 시각으로 표현하고 있다.

것이다. 그러나 작가는 어린 여자 주인공의 눈과 마음으로 투발루 섬과 고양이 투발루를 바라보게 함으로써 투발루 섬의 실상을 독자에게 생생하게 전달하고 있다.

이와 같이 관찰자의 목소리는 그림책을 읽는 어린 독자에게 정보를 효과적으로 전달할 수 있게 해 준다. 작가는 자신의 원고를 자세히 살펴보고 자신의 작품을 가장 돋보이게 하는 목소리를 찾아보아야 할 것이다.

4) 캐릭터 자신이 말하기

캐릭터 자신이 1인칭으로 직접 이야기한다면 자신의 내적인 느낌이나 생각들을 깊이 다룰 수 있으므로, 독자는 캐릭터와 정서적 일체감을 경험할 수 있을 것이다. 그리고 독자는 이야기에 더 깊이 몰입할 수 있다.

4-7. 『망태 할아버지가 온다』(박연철 글 · 그림, 시공주니어, 2007). 아이가 느끼는 망태 할아버지에 대한 두려움을 나타내고 있다.

어린 시절을 떠올려 보면 누구나 망태 할아버지에 대한 기억이 남아 있을 것이다. 그것은 구체적인 기억이라기보다는 "말을 안 들으면 망태 할아버지가 잡아간다."라고 하는 어른들의 말에 무시무시한 망태 할아버지를 떠올리며 두려움을 느낀 것에 가까울 것이다. 『망태 할아버지가 온다』(2007)는 장난이 심하고 엄마 말을 잘 안 들었을 것 같은 남자아이의 목소리로 망태 할아버지에 대한 두려움을 이야기하고 있다. 여기서 중요한 것은 주인공 아이의 심리상태다. 엄마의 말에 억울해하고 반항하고 싶은 마음과 망태 할아버지에 대한 두려움이 교차하는 감정을 1인칭으로 적절하게 전달하고 있다. 만약 이것을 전지적인 목소리나 관찰자적인 목소리로 전달한다면, 텍스트는 길어지고 설명적으로 되었을 것이다. 그리고 이 그림책에서 보여 준 주인공 아이의 분노나 두려움이 효과적으로 전달되지 않았을 것이다. 그러나 작가는 이것을 주인공 자신의 목소리로 말하게 함으로써 짧은 텍스트 속에서도 아이가 느끼는 감정을 직접적으로 드러냈다. 이 책을 읽는 어린 독자는 주인공의 감정이 자신과 닮았다고 생각하며, 때로는 같이 분노하고 두려워한다. 반면 이 책을 읽는 어머니 독자는 자신과 닮은 엄마 캐릭터를 객관적으로 바라보게 되고, 그것에 반항하는 아이의 감정을 직접적으로 맞닥뜨리게 되어 불편함을 느낀다. 대부분의 그림책은 이중독자를 갖고 있어 작가들은 어린이의 입장과 어른의 입장을 동시에 고려하여 글을 쓰고 있다. 그것은 전략적이기보다는 작가가 어른이기에 어른의 입장에서 어린이를 바라보게 되는 것과 같다. 그러나 『망태 할아버지가 온다』는 철저하게 어린이의 입장에서 어린이의 눈과 마음으로 쓴 글처럼 느껴진다. 그 이유는 캐릭터의 감정이 고스란히 드러나는 원색적인 목소리 때문이다(여기서 작가가 장치해 놓은 다양한 그림의 해석은 제외하기로 하자. 그림은 목소리와는 다르게 성인의 눈으로 바라보게 만드는 치밀함이 숨어 있기 때문이다).

감정을 독자에게 직접적으로 전달하고 싶은가? 캐릭터의 목소리로 직접 전달하는 것이 이야기에 깊이 몰입할 수 있게 만드는 가장 좋은 방법이다.

그렇다면 정보그림책에서도 1인칭으로 정보를 전달하는 것이 효과적일까? 캐릭터 자신이 정보를 얻기를 간절히 원한다면 효과적일 것이다.

『강아지가 태어났어요 *My Puppy is Born*』(2000)에서는 강아지를 갖고 싶어 하는 어린이가 등장하여 강아지가 태어나고 자라서 자기가 키우게 되기까지의 과정을 직접 이야기하고 있다. 작가는 아이의 목소리를 통해 강아지를 갖고 싶어 하는 아이의 기다림과 기대를 그대로 보여 주고 있다. 그러나 정보에 있어서는 관찰자적 입장을 취하고 있어 독자에게 객관적으로 정보를 전달하고 있다.

이 정보그림책은 사진으로 구성되어 있는데, 첫 장면은 시각적 이미지가 전혀 없이 "신나는 일이 생겼어요."라는 말로 시작하고 있다. 이 한 줄의 텍스트는 어떤 그림이나 사진보다 강아지를 기대하는 아이의 마음을 효과적으로 전달하고 있다. 그 뒤로 사진과 함께 나타나는 목소리는 간간히 나타나는 기대를 통해 내레이터가 어린이임을 상기시켜 주고 있다. 어린 화자는 강아지를 보고 관찰한 것과 이미 알고 있는 것을 적절하게 조화시켜 독자에게 전달하고 있다. 예를 들어, '탯줄'을 설명할 때에는 작은따옴표를 사용하여 자신도 이것을 배워서 알고 있고, 독자도 알아 두어야 할 어려운 말임을 강조하고 있는 것이다.

4-8. 『강아지가 태어났어요』(조애너 콜 글, 제롬 웩슬러 사진, 이보라 옮김, 비룡소, 2000). 강아지가 태어나고 자라는 모습을 사진으로 보여 주고 있다.

이 책은 마지막 세 장면에 이르기 전까지 화자의 모습이 나타나지 않는다. 이러한 장치는 목소리만으로도 충분히 화자가 누구인지 알 수 있기 때문이며, 전략적으로 전반부에는 강아지에 대한 정보에 더 집중하도록 한다. 이를 보면 정보를 전달하는 화자의 모습이 반드시 드러날 필요는 없다. 화자의 역할은 정보에 집중하도록 도와주고 효과적으로 정보를 전달하면 된다. 그러나 이 책의 경우 화자가 어린이기 때문에 독자는 이야기를 끌고 가는 어린이가 누구인지 또 어린이와 강아지가 잘 지내게 될지 궁금할 수 있다. 이 책은 그러한 독자의 기대를 저버리지 않고 책의 후반부에 강아지의 모습과 어린이의 모습을 함께 등장시키고 있다. 화자인 어린이와 강아지의 친밀감 또한 중요한 과제로 생각하기 때문이다. 그림책은 정보책일지라도 정보의 전달과 함께 정서적인 완결성도 중요하다. 독자는 지금까지 이야기를 들려주던 어린이와 강아지가 함께하는 모습을 확인함으로써 이야기의 마무리를 안정감 있게 받아들일 수 있다. 정보책 작가의 역할은 정보만 나열하는 것이 아니라, 정보 전달과 동시에 정보가 어린이의 삶에 뿌리를 내릴 수 있도록 도와주는 것이다. 그런 점에서 이 책은 강아지의 탄생과 성장, 인간과의 교감까지 잘 어우르고 있다.

그러나 좋은 정보그림책이라고 생각하는 이 책에서도 고개를 갸우뚱하게 만드는 장면이 있다. 텍스트는 "강아지들은 모두 귀여워요. 하지만 나는 결정했어요. 이 강아지를 갖기로 말이죠."라고 서술하고 있다. 글에서는 어린이의 목소리로 이야기하고 있지만, 실제 사진에서는 나이든 할머니의 손이 강아지를 들고 있다. 안타깝게도 이 장면은 옥의 티라고 할 수 있다. 어린이의 눈과 마음과 목소리로 이야기를 전달하고 있다면 당연히 어린이의 손이 나와야 할 것이다. 이 장면은 텍스트와 그림의 목소리가 일치해야 한다는 것을 보여 주는 좋은 예라고 할 수 있다.

5) 캐릭터 간의 대화로만 말하기

일반적으로 작가는 그림책의 서술을 묘사, 설명, 대화 등으로 이끌어 간다. 이는 보다 친절한 느낌을 주며 독자가 이해하기 쉽다. 그러나 다른 작가들도 늘 쓰는 방식이기 때문에 신선한 느낌은 적다. 새로운 시도를 위하여 캐릭터 간의 대화로만 텍스트를 적어보자. 독자가 처음 접했을 때는 다소 당황스러울 수 있으나, 캐릭터의 성격은 더 잘 표현할 수 있다. 존 버닝햄의 『우리 할아버지 *Granpa*』(1995)는 할아버지와 손녀의 대화로만 되어 있어 두 사람 간의 대화방식을 잘 보여 준다.

캐릭터 간의 대화로만 글을 쓸 때에는 대화 자체에 캐릭터의 성격이 드러나야 한다. 누가 말했는지 헷갈리게 써서는 안 된다. 너무 많은 캐릭터가 등장하는 작품에도 어울리지 않는다. 둘, 많아도 셋 이하로 캐릭터를 한정하자. 아무리 잘 써도 캐릭터가 많으면 구별하기 힘들기 때문이다. 또한 시각적으로 독자가 금방 파

4-9. 『우리 할아버지』(존 버닝햄 글 · 그림, 박상희 옮김, 비룡소, 1995). 할아버지와 손녀의 대화를 통해 서로 소통하고 이해하는 과정을 보여 주는 이야기다.

악할 수 있도록 색깔이나 글자체의 도움을 받는 것도 좋다. 그러나 가장 중요한 것은 캐릭터의 특성이 드러나게 글을 쓰는 것이다.

정보책에서도 대화로만 쓰는 것이 가능할까? 정보책이라고 장르를 단정 짓기는 어렵지만 『그래, 책이야! *It's a Book*』(2011)는 대화의 형식을 통해 컴퓨터와 책의 차이점을 정확한 정보로 전달하고 있다. 등장인물인 동키와 몽키의 대화를 보면 컴퓨터에 빠져 있는 동키의 발랄함, 솔직함, 엉뚱함과 책을 좋아하는 몽키의 여유로움, 우직함, 성실함이 느껴진다.

4-10. 『그래, 책이야』(레인 스미스 글 · 그림, 김경연 옮김, 문학동네어린이, 2011). 책이 무엇인지, 컴퓨터와 어떻게 다른지 동키와 몽키의 대화를 통해 보여 주고 있다.

1인칭 화자는 개인의 감정과 상황에 집중할 수 있게 하고, 3인칭 화자는 하나의 캐릭터가 바라보는 시각으로만 볼 수 있게 해 주는 장점이 있다. 반면 대화로만 쓰는 것은 어떤 상황에 대한 두 캐릭터의 관점을 동등하게 보여 준다. 독자는 두 캐릭터 모두에 공감하는 재미와 두 캐릭터 간의 관점을 비교해 보는 재미를 동시에 느낄 수 있는 것이다.

자신이 쓰고자 하는 책이 이야기책이든 정보책이든 캐릭터가 많지 않다면 대화로 이야기를 적어보자. 훨씬 더 신선하고 재미있는 이야기가 탄생할 것이다.

6) 캐릭터의 목소리를 다른 형식에 담아 보기

일반적인 관찰자나 1인칭으로 서술하는 방식에서 탈피하여 편지글이나 엽서에 담아 볼 수도 있다. 같은 서술 방식이라도 형식만 바꾸면 전혀 다른 이야기가 되기 때문이다. 편지나 엽서 형식은 대화글의 변형된 형태다. 대화가 캐릭터 간의 성격이나 관점을 보여 준다면 편지글은 대화글보다 더 구체적이고 정서적인 측면을 보여 줄 수 있다. 만약에 편지 형식을 택했다면 다음과 같은 점을 주의해야 한다. 편지 쓰기는 기술이 아니라 진심이 담겨 있어야 한다. 작가는 캐릭터가 진짜 살아 있는 대상이라고 생각하고 작가 자신이 편지를 쓰는 캐릭터가 되어 본다. 캐릭터가 된 작가는 그림책 속 다른 등장인물에게 실제로 편지를 보내듯 글을 쓴다. 그러면 생생하고 살아 있는 편지글이 될 것이다. 편지글은 캐릭터의 색깔이 묻어나는 생각과 말, 행동으로 표현해야 한다. 그 사람의 행동이나 말, 생각은 그 사람의 성격을 드러내기 때문이다. 그러므로 설명이나 묘사가 아닌 편지글에서도 캐릭터를 분명하게 보여 줄 수 있어야 한다.

4-11. 『리디아의 정원』(사라 스튜어트 글, 데이비드 스몰 그림, 이복희 옮김, 시공주니어, 1998). 리디아는 정원 가꾸기를 좋아하지만 어려운 가정형편 때문에 도시 외삼촌 집에서 지내면서 어려움을 극복해 나간다.

『리디아의 정원 *The Gardener*』(1998)은 리디아의 편지로만 되어 있다. 다음은 『리디아의 정원』의 첫 장면이다. 책에서와 달리 이 장면을 1인칭 화자로 서술하면 어떤 느낌을 주는지 살펴보자.

우리 집은 가난해요.

아빠도 일자리가 없었고, 엄마는 바느질조차 할 수 없게 되었지요.

저녁에 할머니가 말했어요.

"리디아, 우리 집 형편이 나아질 때까지 외삼촌댁에 가 있는 게 어떻겠니?"

할머니의 말에 모두가 울었어요. 아빠까지 눈물을 흘리셨지요.

그러다가 엄마가 이렇게 말했어요.

"외삼촌은 얼마나 짓궂은지 나무 위까지 나를 따라 왔어."

우리는 모두 웃었지요. 한참 웃다가 내가 말했어요.

"저는 힘이 세니까 외삼촌 일을 다 거들어 드릴래요."

"하지만 숙제부터 끝내는 거 잊으면 안 된다."

할머니는 빙그레 웃으며 나를 바라보았답니다.

이러한 서술 방식은 우리가 자주 볼 수 있는 1인칭 화자다. 그러나 작가는 1인칭으로 말하지 않고 캐릭터의 목소리를 모두 편지글에 담아 말하고 있다.

짐 외삼촌께

저녁을 먹고 나서 할머니가 말씀하셨어요.
우리 집 형편이 나아질 때까지
제가 외삼촌 댁에서 살면 어떻겠느냐고요.
할머니께 들으셨어요?
아빠가 오랫동안 일자리를 구하지 못했고,
이제는 아무도 엄마에게 옷을 지어 달라고
하지 않는다는 걸요.
우리 모두 울었어요. 아빠까지도요.
그러다 엄마가 어렸을 때 이야기를 꺼내는 바람에 다 같이 웃고 말았지요.
외삼촌이 엄마를 쫓아 나무 위에까지 올라갔다면서요? 정말 그러셨어요?
저는 작아도 힘이 세답니다.
제가 할 수 있는 일이라면 다 거들어 드릴게요.
하지만 할머니는 숙제부터 끝내고 나서 다른 일을 하라고 하셨어요.

1935년 8월 27일
조카 리디어 그레이스 핀치

같은 캐릭터가 말하고 있지만, 편지글 형식으로 바꾸면 전혀 다른 느낌이 되는 것을 보았을 것이다. 일상적인 서술을 편지라는 형식에 담아 넣자 색다름과 생동감이 느껴진다. 현실에서도 날마다 얼굴을 보는 사람이 어느 날 내게 편지를 보내온다면 새롭게 느껴질 것이다. 약간의 변형은 글쓰기 자체를 재미있게 만들 뿐 아니라 독자에게도 신선함을 안겨 준다.

그러나 편지글을 쓰고자 할 때 잊지 말아야 할 것이 있다. 다음에 나오는 구성에서도 다시 다루겠지만, 편지글에는 배경이나 등장인물의 성격도 반드시 언급해 주어야 한다. 예를 들어, 첫 장면에서는 리디아가 외삼촌 댁에 가게 되는 배경이었다면, 그다음 장면에서는 등장하는 인물들의 성격을 보여 주는 것이다. 리디아의 편지에는 리디아의 성격이 드러남과 동시에 자신의 일상과 외삼촌을 포함하여 같이 지내는 사람들의 성격과 태도를 묘사하고 있다. 이와 같이 편지글에는 편지를 보내는 캐릭터의 성격도 드러나야 하고 이야기에 등장하는 다른 이들의 성격과 태도, 이야기 속에 들어 있는 갈등과 문제들도 모두 포함해야 한다. 이것은 캐릭터와 이야기 속에 완전히 동화되지 않으면 안 되는 어려운 작업이다. 그러므로 작가는 꾸준히 캐릭터와 하나가 되는 훈련을 해야 하며, 등장인물들에게도 편지를 보내고 친해지는 과정이 필요하다. 그러면 캐릭터는 작가에게 익숙해져서 가족과 친구 같은 존재가 된다. 아마도 글을 쓰는 과정이 친구를 사귀는 것과 같은 즐거움으로 발전할 수 있을 것이다.

정보책에서도 다른 형식으로 정보를 전달할 수 있다. 『야, 공이다』(2008)는 우리가 일상적으로 보는 공을 외계에서 온 토끼의 시각으로 보게 해 준다. 정보책에서 공을 보여 주는 방법은 다양하다. 가장 많이 쓰는 방법은 공의 생김새와 쓰임, 공을 사용하는 경기의 규칙을 나열하는 것이다. 그러나 이 책은 심심한 외계인 토끼를 등장시켜 공을 호기심 어린 눈으로 관찰하여 관찰일지를 씀으로써 일상적인 정보를 다른 시각에서 보게 해 준다. 관찰일지는 객관적으로 써야 한다. 이것은 정보책에 적합한 시각이다. 관찰일지는 쓰는 대상에 따라 복잡하기도 하고 어렵

4-12. 『야, 공이다!』(박영란 글, 김재숙 그림, 한우리북스, 2008). 외계인 토끼가 지구에 와서 공을 관찰하며 관찰일지를 쓴 이야기다.

기도 하다. 그러나 이 책을 쓰는 외계인 토끼는 어린이의 눈높이로 공을 관찰하면서 관찰일지를 써나가기 때문에 독자의 눈높이에도 적절하다. 또한 이 책의 장점은 책을 넘기는 방식이 다른 책과는 달리 위로 넘기게 되어 있어 어린이들에게 새로운 느낌을 준다. 이렇게 정보책에서 다른 형식으로 글을 쓰는 것은 독자에게 정보를 재미있고 독특한 시각으로 접근하게 해 준다.

7) 사물의 목소리로 말하기

때로는 자신이 말하고자 하는 캐릭터가 움직이지 못할 수도 있다. 나무나 카펫, 오래된 다리처럼 움직이지 않는 캐릭터는 움직이는 캐릭터가 가질 수 없는 매력이 있다. 작가는 실험적인 태도를 갖고 움직일 수 없는 대상을 설정하여 그의 목소리로 말할 수 있다. 현실 세계에서는 말을 할 수 없고 움직일 수도 없는 대상이 작가의 상상 속에서는 말을 할 수 있고 생각도 할 수 있다. 움직이지 못하는 대상이 감정도 있고, 생각도 있으며, 사람들의 행동을 지켜보거나 대화를 엿듣는다고 상상하면 아주 재미있는 작품이 될 수 있다. 이때 촌스러운 의인화는 주의해야 한다. 눈, 코, 입이 달려 있어 말하고 듣고 보는 것이 아니라 글 자체에 힘을 담아 그들의 감정과 생각을 펼칠 수 있어야 한다.

『곰 인형 오토 *Otto: The Autobiography of a Teddy Bear*』(2001)는 움직일 수 없는 곰 인형의 눈으로 제2차 세계대전과 유대인을 바라보고 있다. 수동적인 곰 인형의 입장에서 바라보는 인간들의 참상은 더 잔혹하다. 곰 인형은 자신이 어느 공장에서 태어났으며, 어느 진열장에 놓여 있었고, 어떤 사람이 자기를 사 갔는지, 자신을 데려간 사람에게 어떤 일이 일어났는지 인형의 입장에서 말을 하고 있다. 인형이 바라보고 겪은 일들은 단지 인형에게만 일어난 것이 아니라 실제로 친구 다비드와 오스카에게 일어난 슬프고도 잔인한 전쟁인 것이다. 곰 인형이 보는 다비드는 그저 자신을 사랑하는 평범한 아이였으나, 가슴에 노란별을 달았다는 이유로 끌려가게 된다. 곰 인형 역시 까만 잿더미 속에 홀로 떨어져야 했고, 군인 대신 총에 맞는 파란만장한 경험을 하게 된다. 움직일 수 없고 수동적인 입장에 있

4-13. 『곰 인형 오토』(토미 웅거러 글 · 그림, 이현정 옮김, 비룡소, 2001). 곰인형의 눈으로 보는 제2차 세계대전의 참혹함을 그리고 있다.

기 때문에 곰 인형이 겪고 느끼는 이 모든 경험들은 전쟁이라는 참상을 더 사실적으로 느끼게 해 준다.

지금까지 우리는 다양한 목소리로 말하는 방법을 여러 작품을 통해 살펴보았다. 독자의 입장에서 전지적인 목소리는 이야기를 듣게 만들고, 관찰자의 목소리는 관찰한 것과 그 이외의 것들을 상상하게 만들며, 캐릭터 자신의 목소리는 내면의 감정에 깊이 빠져들게 만든다. 자신이 만든 이야기를 가장 효과적으로 전달하기 위해서는 누구의 목소리로 말할 것인지 반드시 고민해 보아야 한다. 이야기를 구상하는 단계부터 확고한 목소리가 떠올랐다면, 자신의 감각을 믿는 것이 좋다. 그러나 그것이 아니라면 다양한 방법으로 바꾸고 연습해 보자. 어느 순간 가슴 떨리게 만드는 목소리를 발견할 수 있을 것이다. 어쩌면 이 책을 읽는 가운데 이미 목소리를 발견했을지도 모른다. 그러면 지체하지 말고 당장 써야 한다. 지금 들리는 크고 명확한 목소리는 시간이 갈수록 희미하게 들리게 될 테니까.

자신의 작품에서 누가 말할 것인지 정하는 일은 쉽지 않다. 그러나 다양한 방법으로 고민하고 습작하면 좀 더 나은 작품을 쓸 수 있을 것이다.

• **기존에 나와 있는 목소리 변형해 보기**

다음 글은 『빈집 탐험대』(2008)의 3, 4, 5장면을 발췌한 것이다. 이 작품은 어린이들의 목소리로 직접 이야기를 전개하고 있다. 이를 다양한 목소리로 변형해 보자.

원문

문을 쾅 열었어.
집안은 조용했지.
"난 안 들어 갈 거야. 진짜 귀신이 나오면 어떡해?"
"귀신? 우리가 잡으면 되지 뭐! 내가 앞장 설 테니까 따라와."

귀신이 숨어 있나 찾아보는 거야.
"나는 싫어, 무섭단 말이야."
"우리가 찾을 테니까 넌 보고 있어."

귀신들아! 여기 있지?
없네? 우리가 와서 다 도망갔나?

변형 1: 전지적 작가의 목소리

아이들은 문을 열어 보았어. 집안은 조용했지.

겁쟁이 아이는 문 앞에 서서 망설였어.
"난 안 들어 갈 거야. 진짜 귀신이 나오면 어떡해?"
"귀신? 우리가 잡으면 되지 뭐! 내가 앞장 설 테니까 따라와."
씩씩한 아이는 앞장서서 들어갔어.

아이들은 귀신이 숨어 있나 집안 구석구석을 찾아보았어.
겁쟁이 아이는 여전히 징징거렸지.

씩씩한 아이들은 귀신에게 호통을 쳤어.
"귀신들아! 여기 있지?
없네? 우리가 와서 다 도망갔나?"

변형 2: 빈집에게 말 걸기

너는 이삿짐이 빠지고 난 뒤 텅 빈 마음이었어.
남은 건 먼지뿐이라고 생각할 때였어.
꼬맹이들이 문을 열고 네게로 들어왔어.
겁 많은 아이는 네게로 들어가지 않으려고 하고
씩씩한 아이들은 귀신도 겁내지 않았지.

아이들은 귀신을 찾는다고 네 속을 들춰 보고 뒤집어 보고 열어 보았어.
너는 아이들과 함께 즐거운 숨바꼭질을 하는 것처럼 생기가 돌았지.

너는 아이들의 놀이에 가끔 커튼도 흔들어 주고
의자도 삐거덕거려 주었어.

변형 3: 관찰자가 말하기

문을 쾅 열었어.
집안은 조용했지.
겁쟁이는 문 앞에 서서 망설였어.
집에서 꼭 귀신이 나올 것 같았거든.
겁쟁이는 친구들에게 징징거렸어.
"난 안 들어 갈 거야. 진짜 귀신이 나오면 어떡해?"
"귀신? 우리가 잡으면 되지 뭐! 내가 앞장 설 테니까 따라와."
겁쟁이 눈에는 그 친구가 무척 씩씩해 보였지.

씩씩한 친구는 앞장서서 들어갔어.
친구들은 귀신이 숨어 있나 집안 구석구석을 찾아보았지.
겁쟁이는 숨어서 친구들이 귀신 찾는 걸 지켜보았어.

친구들이 소리쳤지.
"귀신들아! 여기 있지? 없네? 우리가 와서 다 도망갔나?"

변형 4: 캐릭터 자신이 말하기

나는 문을 세게 걷어찼어.

쾅!

문이 활짝 열렸지.

먼지가 자욱하고 집안은 조용했어.

사실 조금 겁이 나긴 했지만

난 숨을 크게 들이쉬고 씩씩하게 들어갔어.

진이는 무섭다고 징징거렸어.

"난 안 들어 갈 거야. 진짜 귀신이 나오면 어떡해?"

나는 일부러 더 크게 말했어.

"귀신? 내가 잡을 테니까 얼른 따라와!"

나는 구석구석을 들춰 보고 뒤집어 보았어.

혹시나 하는 생각이 들었지만 귀신은 어디에도 없었지.

이제 안심이 되었어.

그래서 크게 소리를 질렀지.

"귀신들아! 너희도 우리가 무서운 거지? 하하하!"

변형 5: 캐릭터 간의 대화로만 말하기

문 열지 마! 귀신 나올 것 같아.

귀신 없어, 이 겁쟁이!

난 겁쟁이가 아니야. 하지만 무서운 걸.

내가 앞장 설 테니까 넌 뒤따라 와!

알았어.

커튼 뒤에 귀신이 있는 것 같아.

귀신이라고? 봐, 아무것도 없잖아!

목욕탕에 귀신이 있을지도 몰라.

목욕탕에 귀신 없어! 아이, 똥냄새!

귀신이 똥을 쌌나?

이 집에는 귀신이 없다고! 그냥 빈집이라고!

변형 6: 편지글로 쓰기

빈집탐험대에게

너희들이 빈집을 탐험했다는 이야기를 들었단다.
조금 무서워하는 친구도 있었지만,
문을 쾅 열고 들어갔다고?

귀신은 찾았니?
식탁 밑에도 커튼 뒤에도 목욕탕에도 찾아보았니?

아마도 너희들이 씩씩해서
귀신들이 얼씬도 못했을 거야.

변형 7: 빈집의 목소리로 말하기

진수네가 이사를 가고 난 뒤 나는 허전했어.

사람들이 움직이고 먹고 놀고 자던 자리에
먼지만 돌아다니고 있었거든.
그때 너희들이 찾아온 거야.
문이 쾅 하고 열렸을 때 나는 가슴이 뛰었어.
'누가 왔을까?'
나는 반가워서 커튼을 살짝 움직여 주었지.
그랬더니 겁먹은 아이 하나가 울상이 되는 거야.
그 아이가 들어오지 않을까 봐 걱정했는데
다행히 씩씩한 친구들을 따라 들어오더구나.

너희들은 귀신을 찾는다고 식탁 밑에도 들어가 보고
화장실에도 들어가 보고
커튼도 들춰 보았지.

나는 너희들이 놀라서 도망갈까 봐 귀신을 꼭꼭 숨겨 두었어.
너희들의 목소리가 나를 얼마나 즐겁게 했는지 몰라.

• 자신의 작품에 어울리는 목소리 찾아보기

여러 가지 예를 통해 하나의 작품이 목소리에 따라 어떻게 달라지는지 보았을 것이다. 이제 자신이 쓰고 있는 작품의 목소리를 바꾸어 보고 가장 어울리는 목소리를 찾아보자.

1단계	자신의 작품에서 첫 세 장면을 다음과 같이 바꾸어 본다. – 작가가 중심 캐릭터에게 말 걸기 – 관찰자가 말하기 – 캐릭터 자신이 말하기 – 사물의 목소리로 말하기 – 캐릭터 간의 대화로만 말하기 – 편지글이나 엽서 등의 형식으로 써 보기
2단계	이중 마음에 드는 목소리로 작품 전체를 바꾸어 본다.
3단계	전체를 여러 번 읽어 보고 다듬는다.

5

새로운 시공간을 어떻게 창조할 것인가

캐릭터를 살아 숨 쉬게 하는 것이 시간과 공간이다.
캐릭터가 어느 시간과 장소에 있어야 가장 빛나는 존재가 될까?
작가는 끊임없이 도전하며 찾아야 할 것이다.

5. 새로운 시공간을 어떻게 창조할 것인가

그림책에서 배경은 자세하게 드러나지 않는 경우가 많다. 배경이 드러난다 할지라도 대부분 우리가 살고 있을 법한 시간과 공간이다. 물론 우리가 살고 있는 시공간에서도 재미있고 신나는 일이 벌어질 수 있고, 또 벌어지고 있다. 그러나 작가는 새로운 시간이나 공간을 창조할 수 있어야 한다. 그것이 아니라면 지금 우리가 살고 있는 시공간 안에서 독자의 관심을 끌 수 있는 흥미로운 요소를 만들어 내야 한다.

1) 시간이 만드는 매력

소설을 보면 많은 작가들이 시간을 변형하여 재미있고 신비로운 이야기를 만들고 있다. 과거에서 현재로, 현재에서 미래로 흘러가는 시간은 멈추지도 않고, 되돌릴 수도 없다. 현재라는 시간은 바로 과거가 되어 버리고, 미래라는 시간은 금세 우리에게 다가와 현재가 되어 버린다. 그렇기에 시간은 매력적인 소재다.

그러나 소설과는 달리 그림책에서는 아동의 발달 특성상 시간 개념을 사용하기 어렵다. 그래서 그림책에서는 시간을 나타내는 수단으로 시제를 사용하고 있다. 시제는 읽는 사람에게 시간에 대한 느낌을 잘 전달해 준다. 과거형 이야기는 거리를 두게 만들고, 현재형 이야기는 실제 일어나는 일처럼 느끼게 만들며, 미래형 이야기는 궁금증을 자아내게 만든다. 많은 그림책 작가들이 시제가 얼마나 중요한지 인식하지 못하고 있다. 그러나 자신이 쓰고 있는 이야기에는 어떤 시제가 어울리는지, 어떤 시제로 써야 효과적인지 반드시 고민해 봐야 한다. 독자는 시제의 변화만으로도 같은 이야기를 색다르게 느낄 수 있기 때문이다.

(1) 과거에 일어난 이야기

대부분의 작가들은 과거시제로 쓰는 걸 좋아한다. 모든 이야기의 시작이라고 할 수 있는 옛이야기는 모두 과거형이다. 문자가 널리 퍼지기 전에 이야기는 구전되었다. 입에서 입으로 전해지는 이야기는 과거형이 당연한 것이었고, 그렇게 이야기를 들어 온 사람들은 과거형이 익숙하고 편안하다. 그러므로 작가 입장에서 과거시제는 쓰기 편한 이야기, 독자 입장에서 과거시제는 읽기 편한 이야기가 된다. 과거시제의 글은 이미 일어난 이야기이므로 독자는 한 발 떨어져서 편안하게 바라볼 수 있다.

『쌍둥이 빌딩 사이를 걸어간 남자 *The Man Who Walked Between the Towers*』(2004)은 1974년 8월 7일, 필립이라는 남자가 쌍둥이 빌딩 사이에 줄을 걸어 줄타기를 했던 사건을 과거시제로 생생하고 긴장감 넘치게 전하고 있다. 쌍둥이 빌딩은 미국 9 · 11 테러 사건으로 사라지고 없지만, 30여 년 전 필립이라는 사람이 자유롭게 그 사이를 오갔던 일은 오래 기억될 것이다. 이 글은 과거시제로 전달해도 무리가 없고 오히려 과거를 회상할 수 있게 만들어 극적이면서 효과적인 이야기가 되는 것이다.

5-1. 『쌍둥이 빌딩 사이를 걸어간 남자』(모디캐이 저스타인 글 · 그림, 신형건 옮김, 보물창고, 2004). 미국 뉴욕에 있는 쌍둥이 빌딩 사이에 줄을 걸어 줄타기를 한 필립의 이야기다.

(2) 캐릭터와 동시대에 살고 있는 현재형 이야기

과거 이야기는 편안하게 쓰고 편안하게 읽을 수 있다. 그러나 문학과 예술은 새로움을 추구하기 때문에 반드시 편안함이 좋은 것만은 아니다. 옛이야기는 과거에 일어난 일이라서 과거시제로 서술하는 것이 당연한 것이지만, 우리가 살고 있을 법한 시간과 공간에서 벌어지는 이야기라면 독자가 읽는 동시에 일어나는 일로 느끼도록 만드는 것이 좋다. 작가가 현재시제로 이야기를 진행한다면 독자에게도 동시진행형이 되는 것이다. 이야기의 진행이 독자가 읽는 그 시점에서 일어나는 일이 되기 때문이다. 이러한 방법은 독자가 책의 캐릭터와 같은 시간에 살고 있기 때문에 현실감이 있어 극적인 효과도 높일 수 있다.

『망태 할아버지가 온다』(2007)는 현 시대에 살고 있는 평범한 남자아이와 그 아이와 어울리는 잔소리 많은 엄마가 등장한다. 엄마는 망태 할아버지라는 무시무시한 이름을 들먹이며 아이가 말을 잘 듣도록 협박하고 있고, 아이의 내면에는 망태 할아버지에 대한 두려움과 함께 엄마에 대한 반항심이 자라고 있다. 주인공은

이 책을 읽고 있는 바로 그 아이일 수도 있고, 옆집의 아이일 수도 있다. 작가는 아이가 책을 읽고 있는 시점에서 일이 일어나는 것처럼 생생하게 느낄 수 있도록 이 책을 현재형으로 적고 있다. 현재형의 이야기는 엄마의 잔소리를 실감나게 하고, 스르르 다가오는 망태 할아버지의 그림자를 더 두렵게 만들어 스릴러 영화를 보고 있는 것처럼 느끼게 한다. 이야기 절정에 나타난 극대화된 두려움은 주인공이 엄마 품에 안겼을 때 찾아오는 안도감을 더해 준다. 이 그림책에는 반전이 있다. 그것을 찾은 독자에게 반전이 주는 효과는 더 크고 놀라울 것이다.

『눈물바다』(2009)는 시험도 못 보고, 밥도 맛없고, 엄마 아빠는 싸우고, 밥 남겨서 혼나고, 되는 게 없는 날, 울고 싶은 아이가 속이 후련하도록 우는 이야기다. 울고 싶은 감정은 과거에 그랬다고 이야기하거나 앞으로 울 것이라고 미래형으로 이야기하면 감정이 효과적으로 전달되지 않았을 것이다. 울고 싶은 감정은 지금 현재 일어나는 것이다. 그러므로 작가는 현재형을 사용하여 울고 싶은 감정을 효

5-2. 『눈물바다』(서현 글 · 그림, 사계절, 2009). 울고 싶은 아이의 심정을 구체적이면서도 과장되게 그리고 있다.

과적으로 전달하고 있고, 울고 나서 주인공이 느끼는 카타르시스를 독자도 함께 느끼도록 해 주고 있다.

(3) 알 수 없는 미래형

모든 이야기를 추측하게 만든다면 어떨까? 아직 일어나지 않았고 어떤 일이 일어날지도 모르는 상황을 이야기 한다면 어떨까?

5-3. 『네가 만약……』(존 버닝햄 글 · 그림, 이상희 옮김, 비룡소, 2003). 일상에서 일어날 수 없는 일들이 일어나게 된다면 어떻게 될지 상상해 보게 만든다.

『네가 만약……. *Would you rather*』(2003)은 끝없이 추측해 보고 상상하게 만든다. 눈에 파묻힌다면, 우리 동네가 정글이 된다면 등 다양한 상상을 해 보게 만들어 일어나지 않은 일이나 미래에 대한 일들을 어린이 스스로 만들어 보게 할 수 있다. 그러나 존 버닝햄은 마무리에 반전의 상상을 넣어 어린이다운 결말을 이끌어내고 있다.

많은 작가들이 미래시제를 쓰지 않는다. 그러나 일어나지 않은 미래의 일을 상상해 보는 것은 궁금증을 불러 일으키는 재미있고 신선한 접근이라고 하겠다.

(4) 시대를 뛰어 넘는 시도

사람들은 옛이야기 패러디를 좋아한다. 옛이야기를 옛날에 머물러 있게 하지 않고 현대로 옮겨 전혀 다른 이야기로 만들기 때문이다. 시대를 바꾼다고 해서 단순히 시간만 이동해서는 안 된다. 그 시대의 생활, 문화, 생각까지도 통합해야 한다.

『내 멋대로 공주 *Princess smartypants*』(2005)는 옛날에 일어난 공주의 이야기를 제멋대로 하고 싶은 현대 공주의 이야기로 바꾸어 놓았다. 왕자와 결혼하여 행복하게 잘 살았다는 뻔한 공주 이야기를 표지에서부터 바꾸어 놓았다. 가죽옷차림으로 오토바이를 타고 있는 여자아이는 반항적으로 보인다. 텔레비전과 자동차, 롤러스케이트와 오토바이 등 다양한 현대적인 소품들이 등장하고, 현대의 상업주의를 대표하는 백화점을 그림책에 옮겨 놓음으로써 공주의 제멋대로 행동이 낯설지 않게 느껴진다. 비록 마법적인 요소가 있다 하더라도, 현대적인 요소들이 적절하게 배치되어 있어 이야기가 설득력 있어 보인다. 그래서 결혼하지 않고 하고 싶은 일을 하며 살아가는 공주의 모습은 현시대에 적합한 인물처럼 느껴진다.

5-4. 『내 멋대로 공주』(배빗 콜 글 · 그림, 노은정 옮김, 비룡소, 2005). 결혼하기 싫은 발랄한 공주가 청혼하러 온 왕자들을 포기하게 만든다.

반대로 현실에 있을 법한 어린이를 석기시대로 옮겨 놓음으로써 석기시대를 자연스럽게 받아들일 수 있도록 만든 그림책도 있다. 『석기 시대 천재 소년 우가 *UG*』(2003)는 질문이 많고 호기심이 많은 우가의 생활을 석기 시대로 옮겨 놓아

5-5. 『석기 시대 천재 소년 우가』(레이먼드 브릭스 글 · 그림, 미루 옮김, 문학동네어린이, 2003). 호기심 많은 소년 우가가 끊임없이 질문을 하며 새로운 것에 도전하려고 한다.

재미를 더하고 있다. 분명히 석기 시대인데 우가도 아빠도 엄마도 친구들도 현대사회에서 볼 수 있는 캐릭터들이다. 질문이 많은 아이, 엄마의 눈치를 보는 아빠, 잔소리하는 엄마, 아무 생각 없이 열심히 노는 친구들이 전혀 낯설지 않은 것은 그들의 대화나 생활, 놀이가 현대 우리 생활과 다르지 않기 때문이다. 만약 자기가 하고 싶은 이야기가 어린이 자신에 대한 이야기거나 가족 간의 이야기라면 시대를 옮겨 보자. 시대를 바꾸는 것만으로도 지금까지 나온 그림책과 차별화될 수 있다. 작가의 입장에서도 새로운 시대에 옮겨진 캐릭터를 창조해내는 것이 재미있을 것이고, 독자의 입장에서도 자기와 닮은 다른 시대의 캐릭터를 만나는 것이 신나는 일일 것이다.

2) 공간이 만드는 매력

특정한 공간은 그 자체가 주는 매력이 있다. 부엌은 맛있는 것을 만드는 공간, 놀이터는 신나게 놀 수 있는 공간, 집은 가족들이 함께 살아가는 공간, 유치원이나 학교는 친구들과 관계 맺는 공간, 동물원은 여러 동물들을 만날 수 있는 공간, 기차나 버스나 배는 어디론가 이동할 수 있게 만들어 주는 공간, 우주는 우리가 알 수 없는 존재를 만날 수도 있는 공간이다. 이와 같이 어떤 공간을 생각하면 떠오르는 이미지가 있다. 공간이 주는 이미지를 살려 이야기를 만들어 보자.

『빈집 탐험대』(2008)는 어린이가 간절히 원하는 놀이공간을 빈집으로 설정함으로써 호기심과 상상력을 자극하게 만든 그림책이다. 요즘 어린이들은 놀고 싶은 욕구는 강하지만 놀 수 있는 공간이 부족하다. 그러한 어린이의 욕구를 채워줄 수 있는 공간을 빈집으로 설정함으로써, 아이들이 마음껏 놀 수 있도록 해 주었다. 그러나 빈집은 마냥 놀기만 하는 공간은 아니다. 잘 모르는 공간이 주는 약간의 두려움은 귀신 놀이라는 새로운 놀이로 들어갈 수 있게 도와준다. 귀신이 있을지 없을지 찾아보기도 하고, 귀신을 어떻게 잡을지 상상해 보기도 하며, 급기야는 자신들이 귀신 소동을 벌이는 단계까지 발전하여 완전히 놀이에 몰입하기에 이른다. 용감하고 당당해진 아이들은 이제 귀신이 있든 말든 상관이 없다. 빈집을 완전히 장악했기 때문이다. 그러나 놀이는 언제나 어른들의 제재로 끝난다. 아이들은 어른들의 손에 끌려가면서도 놀이의 즐거움을 충분히 만끽했기 때문에 행복하다. 한 번 맛본 것은 그것이 맛있고 달콤할수록 잊을 수 없다. 빈집에서 노는 것이 그리웠던 아이들은 영철이네가 이사를 가면 다시 뭉치게 될 것이라는 여운을 남기며 이야기는 끝이 난다.

동물원은 양면적인 공간이다. 어른들에게는 사람들이 많아서 아이를 잃어버릴까 봐 조심해야 하는 힘든 장소이고, 아이들에게는 여러 가지 동물들을 만날 수 있는 신나고 재미있는 장소이기 때문이다. 작가 이수지는 『동물원』(2004)에서 어른과 어린이의 상반된 시각을 동물원이라는 공간을 활용하여 잘 살려 주고 있다. 아이는 고릴라, 곰, 하마, 코끼리, 기린, 물새, 원숭이들이랑 신나게 놀지만, 아빠와 엄마는 아이를 찾느라 아무것도 보지 못한다. "동물원은 정말 신나는 곳이에요." "엄마, 아빠도 재미있었죠?" 라고 아이가 묻고 있지만, 엄마와 아빠는 아이의 말에 대답 없이 다시는 오고 싶지 않은 표정으로 동물원을 뒤돌아본다. 어른과 아이가 서로 다름을 나타내는 공간이 반드시 동물원일 필요는 없지만, 작가는 동물원이 가장 적합하다고 판단했다. 작가는 동물원이라는 공간적 배경을 판타지적으로 적절하게 활용하여 어른과 어린이의 심리를 효과적으로 표현하고 있다. 이렇듯 공간적 배경은 작가가 하고자 하는 말을 가장 잘 드러낼 수 있는 장소다. 본인이 하고자 하는 바를 잘 표현할 수 없다면 지금 선택한 장소는 적합하지 않은 곳일지도 모른다. 내가 생각하는 캐릭터가 어떠한 공간에 있어야 가장 빛을 발하는지 고민해 볼 일이다.

『라이카는 말했다』(2007)는 1957년 인간에게 붙잡혀 우주선을 타고 우주로 나가다가 죽은 개 라이카에 대한 이야기다. 천문학을 전공한 작가는 라이카에 대한 미안함과 안타까움을 기적으로 바꾸고 싶어서 우주라는 공간에 뿌그별을 창조하였다. 작가는 현실에서 이미 죽어 버린 라이카를 계속 살아 있는 것으로 설정하기 위해 뿌그별에 사는 욜라욜라와 6명의 동료들을 만나게 한다. 라이카에게 뿌그별은 기적의 공간이 된다. 즉, 작가에게 우주는 기적을 만드는 공간이다. 현실에서 라이카는 아무 이유도 모른 채 우주선에 태워져 고통받으며 죽어 버렸지만, 작가가 창조한 공간에서 라이카는 인간의 이기심을 비웃듯이 새로운 별에서 살게 된다.

5-6. 『라이카는 말했다』(이민희 글 · 그림, 느림보, 2007). 사람보다 앞서 우주선을 타고 나간 개 라이카가 외계인을 만나 친구가 된다.

이 책에서 작가가 창조한 공간은 희망과 기적을 만들어 내어 독자에게 가슴 뭉클한 감동을 전해 준다.

또한 시대의 변화와 상관없이 어린이들에게 늘 흥미를 주는 장소가 있다. 그곳은 시장이다. 시장은 다양한 물건들과 많은 사람들이 오가는 곳, 활기찬 장소, 단지 물건을 사고파는 곳뿐만 아니라 그 시대와 문화를 고스란히 담고 있는 곳이다. 『달기의 흥겨운 하루』(2011)는 고구려의 문화를 담은 그림책이다. 시장에서 일어나는 일을 고구려 문화와 함께 보여 주고 있다. 작가는 시장에서 엄마를 잃어버렸던 어린 시절의 기억을 떠올리며 이 글을 시작하게 되었다고 한다.

과거 고구려 시대나 현재의 시장은 어린이들 눈에 신기한 것이 많은 흥미로운 곳이다. 그러한 배경을 과거 고구려 시대의 시장으로 옮겨 놓아 현대의 시장과 다르지만 흥미로운 분위기를 자아내었고, 엄마를 잃어버리고 다시 찾는 과정을 통

5-7. 『달기의 흥겨운 하루』(윤아해 글, 정지윤 그림, 창비, 2011). 고구려 시대에 살고 있는 달기라는 소녀가 시장에 가서 보고 경험하고 느낀 것들에 대한 이야기다.

해 정서적 안도감을 주었다.

이야기를 살아 있게 만드는 가장 중요한 요소가 캐릭터라면 캐릭터를 살아 숨쉬게 하는 것이 시간과 공간이다. 캐릭터가 어느 시간과 장소에 있어야 가장 빛나는 존재가 될까? 어떠한 배경인지 작가 자신도 알 수 없다면, 자신이 창조한 캐릭터를 타임머신에도 태워 보고 순간이동 장치에도 태워 보자. 과거로, 현재로, 미래로, 이 장소에서 저 장소로 옮겨 다니다 보면 가장 적합한 시간과 장소가 나타날 것이다. 자신이 만든 캐릭터가 가장 빛나는 배경을 찾을 때까지 작가는 끊임없이 도전하며 찾아야 할 것이다.

자신이 만든 캐릭터가 어느 시간과 장소에 있어야 적합한지 정하는 일은 쉽지 않다. 작가는 캐릭터도 창조하지만 세트를 만드는 미술감독의 역할도 해야 하고, 세트에 알맞은 의상을 입히는 의상담당, 분장사의 일도 해야 한다. 출판한 뒤에 독자가 NG라고 느끼지 않게 철저하게 준비하고 캐릭터를 등장시켜야 한다. 한 번에 결정할 수 있다면 좋겠지만 그렇지 않은 경우에는 다양하게 바꾸어 보고 가장 적합한 시간과 장소를 찾아볼 수 있다.

• 기존에 나와 있는 시간과 장소 변형해 보기

다음 글은 『빈집 탐험대』(2008)의 한 부분 3, 4, 5장면을 발췌한 것이다. 이 작품은 현재형으로 이야기를 전개하고 있다. 이것을 다양한 시대와 장소로 바꾸어 보았다.

원문

문을 쾅 열었어.
집안은 조용했지.
"난 안 들어 갈 거야. 진짜 귀신이 나오면 어떡해?"
"귀신? 우리가 잡으면 되지 뭐! 내가 앞장 설 테니까 따라와."

귀신이 숨어 있나 찾아보는 거야.
"나는 싫어, 무섭단 말이야."
"우리가 찾을 테니까 넌 보고 있어."

귀신들아! 여기 있지?
없네? 우리가 와서 다 도망갔나?

조선시대 빈집에 들어가는 아이들

삐거덕!

"이리오너라!"

대문이 열렸어.

집안은 조용했지.

분이는 무섭다고 덜덜 떨었어.

"난 안 들어 갈 거야. 진짜 귀신이 나오면 어떡해?"

"귀신이라고? 어림도 없지. 게 아무도 없느냐! 귀신이면 썩 나오거라!"

상투 튼 꼬마 신랑이 큰 소리를 쳤지.

귀신이 숨어 있나 찾아보는 거야.

사랑채에도 찾아보고

안채에도 찾아보고

뒷간에 있을까?

귀신들아! 썩 나오지 못할까?

허허, 우리가 무서워서 다 도망갔구나!

유럽 어느 빈 성에 들어간 아이들

삐거덕!

성문이 열렸어.

성안은 컴컴하고 으스스했지.

제인은 무섭다고 덜덜 떨었어.

"난 안 들어 갈 거야. 진짜 유령이 나오면 어떡해?"

"유령이라고? 어림도 없지. 나와 봐! 나와 보라고!"

작은 칼을 든 찰스가 소리치자 성 안에 메아리처럼 울려 퍼졌어.

유령이 숨어 있나 찾아보는 거야.

성탑 꼭대기에도 찾아보고

계단 밑에도 찾아보고

지하 감옥에 있을까?

유령들아! 어서 나와!

하하하, 우리가 무서워서 다 도망갔구나!

미래시대 불시착한 우주선에 들어 간 아이들

끼익! 철커덕!

우주선 문이 무겁게 열렸어.

불이 꺼진 우주선은 스산했지.

준이는 무서워서 숨을 다급하게 내쉬었어.

우주복 유리에 입김이 뽀얗게 끼었어.

"난 안 들어 갈 거야. 우주괴물이 나오면 어떡해?"

"우주괴물이라고? 그런 게 어디 있어? 이건 그냥 불시착한 거야."

현이는 크게 발걸음을 옮기며 우주선 안으로 들어갔어.

"생존자 있으면 대답하라! 삐리삐리!"

조종실에도 없고

실험실에도 없고
연결 통로에도 없는 걸.

“도대체 사람들은 어디 간 거야?
신호를 보낸 사람은 있어야 할 것 아니야?”

• **자신의 작품에 어울리는 시대와 장소 찾아보기**

다양한 배경 속에 놓인 캐릭터가 어떻게 달라지는지 보았을 것이다. 이제 자신이 쓰고 있는 작품의 시간적 · 공간적 배경을 다양하게 바꾸어 보고 가장 어울리는 배경을 찾아보자.

1단계	자신의 작품에서 첫 세 장면을 다음과 같이 바꾸어 본다. – 과거형을 현재형이나 미래형으로 바꾸어 보기 – 시대를 과거 시대나 현재 시대로 바꾸어 보기 – 공간을 다양하게 바꾸어 보기
2단계	이중 마음에 드는 배경으로 작품 전체를 바꾸어 본다.
3단계	전체를 여러 번 읽어 보고 다듬는다.

6

어떻게 이야기를 이끌어 갈 것인가

글쓰기는 건축과 같다. 차근차근 설계해 보고 한층 한층 올려 보자.
즐겁게 쓰다 보면 작가에게도 재미있고, 독자에게도 재미있는 책이 될 것이다.

6. 어떻게 이야기를 이끌어 갈 것인가

그림책 작가가 이야기를 쓰고자 할 때에는 하고 싶은 말이 있기 때문이다. 이야기가 될만한 소재나 작가 자신의 경험을 이야기로 만들고 싶을 때 작가는 그림책 창작을 생각하게 된다. 그러나 재미있고 참신한 소재라도 이것 자체가 이야기가 되는 것은 아니다. 작가가 살아온 경험이나 주변에서 일어난 일일지라도 그것이 이야기는 아닌 것이다. 단지 이야기로 만들고 싶은 '무엇' 일 뿐이다. 이야기는 이야기다워야 한다. 그것을 우리는 '구성' 이라고 말한다. 기승전결일 수도 있고, 이야기를 이끌어 가는 힘일 수도 있다. 초보 작가는 좋은 소재를 발견하지만, 그것을 이야기로 만들지 못하는 경우가 많다. 그것은 소재는 있으나 자신이 하고 싶은 이야기가 무엇인지 끄집어내지 못하기 때문이다. 이야기를 만들고 싶다면 진정으로 하고 싶은 이야기가 무엇인지, 이야기를 어떻게 끌고 갈 것인지 진지하게 고민해 보아야 한다.

1) 과제가 시작되는 도입부

이야기의 매력적인 도입부란 무엇인가? 도입부는 독자의 입장에서는 그림책에 빠져들게 하고 더 나아가 그림책을 사게 하는 동기를 제공한다. 작가의 입장에서는 이야기를 끌고 가는 힘을 다지는 기초공사라고 할 수 있다. 기초공사 없이 빌딩을 지을 수 없다. 아무리 멋진 빌딩이라도 단단한 기초공사를 하지 않으면 무너져 버리기 때문이다. 이야기를 만드는 일은 빌딩을 짓는 것과 같다. 기초공사를 잘 한다면 중간에 흔들리지 않을 것이다.

작가는 도입부에서 문제를 제시한다. 여기서 제시되는 문제는 주로 캐릭터가 가지고 있는 경우가 많다. 그것은 개인과 가족이 가진 결핍일 수도 있고, 개인적 · 가정적 · 사회적으로 해결해야 할 과제일 수도 있다. 도입부에 제시된 문제를 잘 파악하는 것, 그것이 바로 기초공사다. 때로는 작가 자신도 자신이 하고자 하는 이야기의 문제가 무엇인지 모를 때가 있다. 그럴 때는 한 번 적어 보자.

『리디아의 정원』(1998)의 도입부에는 리디아의 문제를 이렇게 제시한다.

- 리디아의 아빠는 실직하고 엄마는 일감이 없다.
- 리디아는 가족과 떨어져 혼자 외삼촌댁에서 지내야 한다.
- 리디아는 할머니와 함께 정원 가꾸는 것을 좋아하는데 외삼촌댁에 정원을 가꿀 만한 곳이 있을지 알 수 없다.
- 외삼촌은 잘 웃는지, 자신을 좋아할지 알 수 없다.

이러한 과정은 글쓰기를 쉽게 하기 위한 것이다. 작가는 이 문제를 이야기 속에 잘 녹이고 버무려 읽는 사람이 눈치 채지 못하게 해야 한다. 사라 스튜어트가 매끄럽게 녹여 놓은 『리디아의 정원』처럼…….

『빈집 탐험대』(2008)의 도입부에서 나타난 문제는 어떠한지 살펴보기로 하자.

- 다섯 아이들은 집 이외에 놀 공간이 필요하다.
- 강아지와 노는 것을 좋아하는 주도적인 아이, 야구를 좋아하는 씩씩한 아이,

잠자리 잡기를 좋아하는 아이, 끈으로 묶는 것을 좋아하는 겁 많은 아이, 냄비와 주걱 등으로 두드리며 노는 것을 좋아하는 아이 등 다양한 아이들의 욕구가 채워지지 않는다.

- 마침 진수네가 이사를 가서 그 집이 비게 되고, 아이들이 그 집에 모이게 된다.
- 막상 아이들이 놀려고 모인 빈집은 귀신이 나올 것 같이 으스스하다.

도입부에 나타난 문제들로 중반부의 이야기를 끌어갈 것이다. 도입이 치밀하면 치밀할수록 이미 이야기의 흐름이 대부분 결정되었다고 볼 수 있다. 그러나 여기서 유의해야 할 것이 있다. 도입은 첫 세 장면 이상을 넘지 않게 해야 한다. 기초 공사를 너무 넓게 과도하게 하면 안 되는 것과 같다.

자신이 쓴 이야기의 도입부를 잘 살펴보라. 도입부가 너무 길지 않은지, 제시된 문제가 너무 단순하지 않은지, 제시된 문제가 너무 복잡하지 않은지 살펴보아야 한다. 만약 도입부에서 문제를 적절하게 제시하지 못했다면, 단언하건데 이야기를 끌어가기 무척 힘들 것이다. 그러나 도입부에 다양한 문제들이 제시되어 있다면, 그 문제들을 해결하는 것만으로도 이야기는 충분히 재미있게 흘러갈 수 있다.

2) 과제를 펼쳐 가는 중반부

이제 도입에서 제시한 과제들을 하나 하나 펼쳐 가야 할 단계다. 그런데 펼쳐 가는 방법에는 모두가 동의하는 규칙이 있다. 단순 반복, 점층적인 반복 등이 그것이다. 이러한 규칙을 사용하면 이야기를 더욱 재미있게 만들 수 있다.

우리 민족은 '삼' 이라는 숫자를 좋아한다. 오죽하면 우리말에 삼세판이라는 말이 있을까? 우리 옛이야기에는 삼 형제, 삼 년 고개, 구슬도 세 개(파란색, 빨간색, 하얀색)가 나온다. 소원도 세 가지를 들어주고, 선녀와 나무꾼에서도 아이

셋 낳으면 되는데 둘만 낳아서 사단이 벌어진다. 이건 서양에서도 다르지 않다. 아기 돼지도 세 마리, 장화신은 고양이에도 삼 형제가 나오고, 잭과 콩 나무에서도 잭이 세 번 올라간다. 금발머리와 곰 세 마리에서도 세 가지가 세 번 반복된다. 세 번 이야기가 반복되면서 긴장감도 올라가고 완성도도 생긴다고 볼 수 있다.

『망태 할아버지가 온다』(2007)를 살펴보자. 작가는 주인공 어린이가 엄마에게 야단맞는 장면과 혼자 구시렁구시렁거리는 장면을 하나로 묶어 세 번 반복한다. 그러면서 아이의 분노가 점점 더 고조되고, 마지막 세 번째 반복에서는 자러 가라고 명령하는 엄마에게 아이는 반감을 갖고 대든다.

이러한 장면은 망태 할아버지가 아이를 잡아 가게 될 거라는 두려움을 고조시켜 이야기를 클라이맥스로 다다르게 만든다. 이야기의 반복과 점층적으로 더해

지는 긴장감은 클라이맥스에 이르기 위해 꼭 필요한 과정인 것이다. 롤러코스터를 타 보면 가장 짜릿한 곳에 도착하기 전에는 반드시 착착착 올라가는 과정이 나온다. 가파른 경사를 많이 올라가면 갈수록 떨어지는 폭이 클 거라고 예상하게 되듯이, 이야기도 마찬가지다. 차곡차곡 쌓은 이야기가 클라이맥스를 더 짜릿하게 만들어 준다.

『꽃신』(2010)은 주인공 디딤이가 진정한 갖바치가 되었음을 보여 주는 과정을 세 번에 걸쳐 나타낸다. 노인에게 편안한 발막신을 만들어 주는 장면, 상인에게 튼튼한 신발을 만들어주는 장면, 세 번째는 약간의 변형을 주어 걸어 나오는 부인의 걱정을 알아차리는 장면을 넣었다. 이 세 가지 과정은 디딤이가 어린 시절 자신에게 도움을 주었던 꽃님이의 신발, 즉 가장 난이도가 있는 창의적인 꽃신을 만들어 줄 준비가 되었음을 보여 주고 있다.

6-1. 『꽃신』(윤아해 글, 이선주 그림, 사파리, 2010). 거지소년 디딤이가 은혜를 입고 진정한 갖바치가 되어가는 과정을 보여 준다.

그렇다고 꼭 세 번을 반복해야 하는 것은 아니다. 여러 번 반복되더라도 반복이 지루하지 않고 꼭 필요한 요소들로 재미있게 구성되었다면, 독자는 기대에 차서 책장을 넘기게 된다.

『내 귀는 짝짝이 *Rikki*』(1999)는 귀가 짝짝이인 토끼 리키가 귀를 쫑긋 세우기 위해 노력하는 장면이 일곱 번이나 나온다. 이 그림책을 읽어 보지 않은 사람들은 "일곱 번이나 나와?" 라고 물을지도 모른다. 그러나 이 책을 읽어보면 이러한 반복이 결코 지루하지 않고 오히려 재미있음을 알게 된다. 그 이유는 리키가 그만큼 간절하게 원했고 그만큼 노력했기 때문이다. 그러한 노력이 있었기에 독자는 그 뒤에 리키가 귀를 자르고 싶을 정도로 절망하는 것에 공감할 수 있다.

사실 이야기를 끌어 나가는 데에는 공식이란 없다. 많은 이야기들이 세 번 반복하고 있다고 나도 세 번을 반복해야 하는 것은 아니다. 처음 글을 쓴다면 이 공식에 따라 써 보는 훈련이 도움을 주겠지만, 쓴 이야기가 열 번이 반복되어도 괜찮을 만큼 재미있는 중반부라면 굳이 다른 사람들이 흔히 쓰는 이야기 방식을 따르라고 말하고 싶지는 않다. 물 흐르듯이 흐르는 이야기, 굽이굽이 재미있는 요소들을 만나 결국에 바다에 이르게 된다면 자연스러운 흐름이 가장 좋은 것이다. 단 개울물이 모여서 시냇물이 되고, 시냇물이 모여서 강물이 되고, 강물이 모여 바다로 흘러가듯이, 이야기의 순서는 지켜 주어야 한다. 건물에 비유한다면 1층 위에 2층을 쌓고, 2층 위에 3층을 쌓아야지 뒤죽박죽 쌓아서는 안되기 때문이다.

여기서 잠깐 정보그림책의 구성에 대해 언급하고자 한다. 이야기가 있는 정보그림책은 앞과 같은 구성의 원리를 따른다. 그러나 이야기가 없는 정보그림책의 경우, 계속되는 반복으로 이루어져 있는 책도 있다. 마치 도입 이후에 반복만 계속 되다가 마무리로 끝나는 것 같다. 제7장에서도 말하겠지만, 한 박자, 두 박자, 세 박자 등 다양한 형식으로 반복하여 이야기를 구성한다. 그러나 그것이 단순히 형식의 문제가 아님을 말하고 싶다.

『세상에서 가장 무서운 건 누구?』(2011)는 세계 여러 나라 귀신들의 정보를 재미있고 다양한 이야기 형식에 담아 보여 주는 책이다. 이 책은 다섯 개의 대륙에

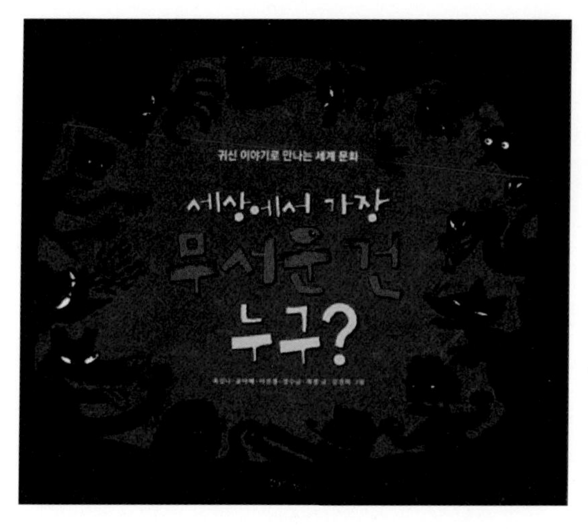

6-2. 『세상에서 가장 무서운 건 누구?』(육길나 · 윤아해 · 이진경 · 장수금 · 최경 글, 김진희 그림, 한울림어린이, 2011). 세계 여러 나라 귀신들의 정보를 재미있는 이야기 형식에 담아 보여 준다.

대표적으로 전해져 내려오는 무서운 괴물과 귀신에 대한 이야기를 소개하고 있다. 괴물과 귀신이 탄생하게 된 문화적 배경뿐 아니라 귀신과 관련된 정보와 귀신을 물리치는 방법 등을 다양한 글쓰기 형식으로 보여 주고 있다. 뿐만 아니라 이야기와 정보를 적절하게 결합하여 재미와 지식을 함께 주고 있다. 또한 텍스트 곳곳에 숨겨져 있는 유머는 귀신이라는 두려움의 대상을 극복 가능한 대상으로 바꾸어 주어 통쾌함을 느끼게 함으로써 책 읽는 즐거움을 만끽하게 한다. 그러나 무엇보다도 이 책은 형식이 돋보이는 책이다. 흔히 쓰이는 두 박자 형식을 따르고 있다.

두 박자를 4쪽으로 본다면 1쪽에는 귀신의 무시무시함을 드러내는 이야기로 시작하고, 2쪽에는 현상수배를 보여 주어 이 귀신의 죄명과 죄상을 낱낱이 드러내고 있다. 또한 이 귀신이 살고 있는 나라의 국기와 화폐 등을 넣어 문화적 배경을 소개한다. 3쪽에는 귀신에게 약점이 있음을 알려 주면서 귀신이 잡히는 장면이 나오고, 4쪽에는 일기, 편지, 기사, 호소문, 관찰일지 등 다양한 형식의 글에

귀신과 관련된 정보를 복합적으로 담고 있다. 이러한 구성은 단순히 "귀신이 무섭다." 또는 "귀신을 잡아라."의 이야기에 그치는 것이 아니라, 귀신을 바라보는

새로운 시각을 담고 있다. 예를 들어, 어떤 귀신은 정말 나쁘지만 어떤 귀신은 연민을 불러일으키기도 한다. 이는 단순히 사람의 측면에서 바라보는 것이 아니라 귀신의 입장도 고려하고 있는 것이다.

이와 같이 정보책에서 정보의 핵심적인 내용이 담겨 있는 중반부의 구성은 단순한 정보의 전달을 넘어선다는 사실을 알 수 있다. 다음 책을 보면 더 명확하게 이해할 수 있을 것이다.

『별이 되고 싶어』(2008)는 세계의 장례 문화를 보여 주는 정보그림책이다. 구성을 살펴보면 이 책은 여섯 개의 문화를 다루고 있으며, 하나의 문화를 이야기하기 위해 각각 세 바닥의 장면을 할애하고 있다. 어린이를 소개하는 장면, 살아가는 장면 그리고 죽어서 장례를 치르는 장면으로 구성된다.

6-3. 『별이 되고 싶어』(이민희 글 · 그림, 창비, 2008). 세계 여러 나라의 장례 문화를 각 문화권 아이의 삶을 통해 보여 준다.

어린이를 소개하는 장면에서는 그림이 왼쪽 바닥에, 글이 오른쪽 바닥에 놓여 있다. 이는 어린이를 소개하며 들어가는 듯한 느낌을 준다.

살아가는 장면은 바탕 전체에 그림을 넣고 글을 율동감 있게 배치하여 우리네 삶을 말해 주는 것 같다.

마지막으로 장례를 보여 주는 장면은 글을 왼쪽에, 그림을 오른쪽에 배치하여 떠나보내는 느낌을 준다. 또한 마지막 장면 아래 각주를 달아 지금 보고 있는 장례 문화가 무엇인지 정확한 정보를 전달하고 있다.

이러한 구성은 장례가 인간의 삶과 동떨어진 것이 아니라 인간 삶의 한 부분임을 자연스럽게 보여 주고 있다. 한 어린이가 태어나서 자라고 죽는 모습을 여섯 번 반복하여 연속성 있게 보여 줌으로써 삶과 죽음이 자연스럽게 굴러가는 수레바퀴처럼 느껴지게 한다.

장례를 보여 주는 형식은 다양할 수 있다. 그러나 이민희 작가는 단순한 정보의 나열을 말하고 싶었던 것이 아니다. 죽음은 삶의 일부이며, 장례는 그들이 살아온 삶과 무관하지 않음을 정보와 함께 말하고 있는 것이다. 작가는 자신의 목소리를 담기에 적합한 구성을 찾아내었고, 마지막에 질문을 던짐으로써 작가가 진정으로 독자에게 하고 싶은 말이 무엇인지 드러내고 있다. 정보책이든 이야기책이든지 앞 장부터 마지막 장까지 하나도 중요하지 않은 공간이 없음을 이 책은 매우 잘 보여 주고 있다. 마지막 한 장까지 놓치지 않고 보기를 바라는 작가의 마음이 마지막 책장을 덮으며 잔잔히 전해지고 있는 것이다.

이 책에서 보여 주는 '세 박자 구조'에 대해서는 뒤에 나오는 제7장에서 자세히 다룰 것이다. 여기서는 구성에 필요한 이야기를 하려고 한다. 다른 정보그림책에서도 세 박자 구조는 흔히 찾아볼 수 있다. 그러나 이처럼 주제와 구성이 잘 맞는

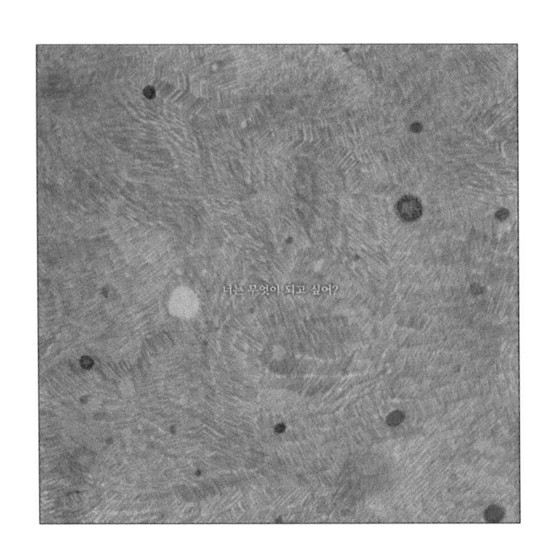

책은 찾기 쉽지 않을 것이다. 현대 그림책의 조건이 되어버린 '구성이 매력적이어야 한다.' 는 말은 그저 구성 자체만을 이야기 하는 것은 아닐 것이다. 잘 조직된 정보는 '정보를 얻는다.' 는 목적을 이룰지는 모른다. 그러나 정보를 얻는 목적 이외에 독자에게 무엇을 남길 수 있는가? 어쩌면 그저 잘 조직된 정보그림책은 아무리 예뻐도 아무런 매력이 없는, 잘 꾸며진 마네킹과 같다. 그러나 한 장 한 장 작가의 목소리가 생생하게 들리도록 구성한다면 생명 없는 마네킹이 아니라 생기 넘치고 아름다운 연인으로 독자에게 다가갈 수 있을 것이다.

3) 과제의 산에 올라선 클라이맥스

클라이맥스는 이미 예견되었다고 할 수 있다. 이야기의 중반부를 따라가던 독자는 점층되는 갈등과 문제들을 만나게 되고, 머지 않아 클라이맥스에 도달하게 될 것이라는 것을 어렴풋이 알 수 있다.

『망태 할아버지가 온다』(2007)는 세 번을 반복하여 감정을 고조시키므로, 망태 할아버지에 대한 어린이독자의 두려움을 극대화시켜 준다. 그래서 클라이맥스에 나타난 장면은 막연한 두려움을 현실로 느끼게 한다.

『리디아의 정원』(1998)의 클라이맥스는 리디아가 좋아하는 정원을 만들어 외삼촌에게 보여 주는 장면이다. 이것은 도입부에서 보여 준 네 가지 과제 중에서 세

가지를 해결해 주는 장면이기도 하다. 텍스트 한 줄 없이 그림으로 꽉 찬 아름다운 장면은 혼자 떨어져 새로운 환경에 적응해야 하는 과제와 외삼촌을 웃게 만들고 싶은 과제 그리고 도시에서 정원을 가꾸는 과제를 해결해 준다. 독자에게는 놀라움과 함께 만족감을 안겨 준다.

보통 클라이맥스는 16장면을 기준으로 볼 때 13장면이나 14장면에 나온다. 그러나 언제나 예외는 있다.

『내 귀는 짝짝이』(1999)는 클라이맥스가 훨씬 더 앞쪽에 위치한다. 리키가 귀를 잘라버리고 싶을 정도로 힘들어하고 아파하는 장면은 이 책의 가장 큰 위기라고 할 수 있다. 클라이맥스가 앞쪽에 위치해 있기 때문에 이 책은 다른 이야기에 비해 마무리가 좀 길다. 그러나 책을 읽어 보면 위기를 통해 문제를 해결해 나가는 마무리가 자연스럽게 연결되어 길게 느껴지지 않는다.

클라이맥스를 어느 위치에 놓아야 한다는 공식이 있는 것은 아니다. 자신의 이야기에 가장 잘 맞는 부분이 바로 그 책의 클라이맥스인 것이다. 클라이맥스의 위치를 제 자리에 잘 잡았다면 이제 매력적인 마무리로 넘어가야 할 것 같다.

4) 아무도 예상하지 못한 신선한 마무리

결말이 뻔히 보인다면 아무리 도입이 매력적이고, 중반부가 치밀하고, 클라이맥스가 멋있어도 소용이 없다. 예상하지 못한 마무리가 기다리고 있어야 한다. 예술은 뻔한 것을 거부한다. 뻔한 것은 진부한 것이기 때문이다. 마무리는 산뜻하고 신선해야 한다.

또 한 가지 잊지 말아야 할 것은 도입에서 제시했던 과제들을 모두 해결해 주어야 한다. 도입에서 제시된 과제가 모두 해결되지 않을 때에는 그림책을 덮고 나서 뭔가 아쉬움이 남는다. 독자는 안도감과 편안함, 재미와 신선함을 느끼며 책장을

덮고 싶어 한다. 작가는 그러한 독자의 기대를 충족시켜 주어야 한다.

『리디아의 정원』(1998)은 클라이맥스에서 이미 네 가지 중 세 가지 과제를 해결했다. 마무리는 두 장면으로 이루어지는데, 외삼촌이 리디아를 위해 꽃으로 장식한 케이크를 만들어 주며 아빠의 취직 소식을 전하는 장면이다. 이 장면은 마지막 과제까지 모두 해결되는 장면이다. 그리고 다시 텍스트가 없이 기차역 장면이 나온다. 리디아가 처음 도시에 왔을 때 느끼는 불안과는 달리 모든 과제가 해결된 뒤 돌아가는 따뜻한 장면이다. 이 장면은 리디아가 어렵고 외로운 환경 속에서 혼자 꿋꿋하게 잘 적응해 나갔으며, 외삼촌과 다른 이들과의 관계를 잘 이루어 나갔음을 보여 준다. 이 장면에서 독자는 주인공의 과제가 해결된 것을 확인하고 안도감과 가슴 뭉클한 감동을 느끼며 책장을 덮게 된다.

『빈집 탐험대』(2008)의 과제는 어떠한가? 아이들은 빈집이라는 놀 공간을 확보했고, 각자의 요구를 만족시키는 놀이에 몰입했으며, 두려움을 극복했다. 이 책은 중반부와 클라이맥스를 통해 제시된 과제를 모두 해결한다. 그러나 아이들의 놀이는 끝난 것이 아니다. 마무리에서 누군가 또 이사를 가는 장면을 보여 줌으로써 아이들의 놀이에 대한 욕구가 끝나지 않았음을 보여 주고 있다.

때로는 극적인 반전으로 안도감을 놀라움으로 바꾸어 주는 작품도 있다. 『망태할아버지가 온다』(2007)는 두려워하는 아이에게 엄마가 달려와 따뜻하게 안아줌으로써 안정감으로 마무리하는 것처럼 보인다. 그러나 작가는 마지막 장면에서 충격적인 반전을 숨겨 놓는다. 그것을 발견하는 사람은 놀라움으로 책장을 덮을 것이지만, 발견하지 못하는 사람은 안도감으로 책장을 덮을 것이다. 두 가지 모두 나쁘지 않은 결말이라고 생각한다. 그러나 마지막까지 긴장감을 유지하게 만드는 작가의 치밀한 계산은 이 작품을 더욱 돋보이게 한다(이 부분은 그림책을 읽지 않은 사람에게 스포일러일 수 있으므로 마지막 장면은 넣지 않으려고 한다).

매력적이고도 신선한 마무리를 보여 주는 작품들은 많다. 그러나 그것은 다른 사람들의 작품이다. 이제 자신의 작품을 들여다보아야 한다. 도입에서 과제들을 제시했다면 중반부와 클라이맥스, 마무리를 거치면서 그 문제들을 다 해결하였는지 점검해 보아야 한다. 부실한 해결은 부실공사와 같다. 글쓰기를 건물에 비유한다면 기초공사는 건물의 크기에 맞게 해야 한다. 잘못된 공사라면 재시공이 필요하다. 이런 면에서는 우리가 글을 쓰는 작가인 것이 얼마나 다행인지 모른다. 건물을 짓고 올리는 데는 많은 돈과 인력과 시간과 주변의 따가운 시선을 감당해야 할 것이지만, 작품은 몇 번이고 수정 가능하다는 장점이 있다. 하지만 그것도 출간되기 전까지만 가능하다. 책이 한 번 나오고 나면 건물과 마찬가지로 돈과 인력과 시간과 주변의 따가운 시선을 받을 것이기 때문이다. 그러므로 책이 나오기 전에 부지런히 고치자. 물론 작가의 마음고생은 건물을 다시 짓는 것만큼 힘들 수 있다. 어느 소설가는 이렇게 말했다. "작가는 참 좋은 직업이다. 글만 잘 써진다면." 이 말은 글이 잘 써지지 않을 때 고통이 있음을 말해 주고 있다. 그러나 차근차근 다시 설계해 보고 한 층 한 층 올려 보자. 다 지어졌을 때의 멋진 모습을 기대하며 즐겁게 쓰다 보면 작가에게도 재미있고 독자에게도 재미있는 책이 될 것이다. 섬광처럼 다가온 영감이 제대로 틀을 갖춘 작품이 될 수 있게 다듬는 작업이 작품의 완성도를 높이는 과정이 될 것이다.

• 기존에 나와 있는 작품 분석하기

다음은 『빈집 탐험대』(2008)의 구성을 분석한 것이다.

도 입	어떠한 과제를 가지고 있는가?	1. 다섯 아이들은 집 이외에 놀 공간이 필요하다. 2. 강아지와 노는 것을 좋아하는 주도적인 아이, 야구를 좋아하는 씩씩한 아이, 잠자리 잡기를 좋아하는 장난꾸러기 아이, 끈으로 묶는 것을 좋아하는 겁 많은 아이, 냄비, 주걱 등으로 두드리며 노는 것을 좋아하는 흥이 많은 아이 등 아이들의 욕구가 채워지지 않는다. 3. 마침 진수네가 이사를 가서 그 집이 비게 되고, 아이들이 그 집에 모이게 된다. 4. 막상 아이들이 놀려고 모인 빈집은 귀신이 나올 것 같이 으스스하다.
전 개	문제를 어떻게 펼쳐 가는가?	두려움을 극복하기 위해 강아지, 야구 방망이, 잠자리채, 끈, 냄비와 주걱 등 아이들이 좋아하는 놀잇감을 총 동원해 본다.
클라이맥스	어떠한 갈등에 놓이게 되는가? 과제가 가장 극대화된 장면인가?	아이들이 두려움을 완전히 몰아내고 귀신 놀이에 몰입하게 된다.
결 말	아무도 예상하지 못한 신선한 마무리인가?	부모님이 찾으러 와서 놀이가 끝나지만 다른 집이 이사가면 언제든지 다시 모일 수 있다는 여지를 남긴다.

• 자신의 작품에 어울리는 시대와 장소 찾아보기

이제 자신의 작품을 분석하여 본다.

1단계	도 입	자신의 작품 도입부에서 어떠한 과제가 있는지 찾아서 적어 본다.	과제 1: 과제 2: 과제 3:
	전 개	중반부에서 어떻게 문제가 펼쳐지고 있는지, 어떠한 반복을 이루고 있는지 확인해 본다.	
	클라이맥스	어려움과 갈등, 문제가 극대화되고 있는지 확인해 본다.	
	결 말	뻔하지 않은 마무리인지 확인해 본다. 제시된 과제가 모두 해결되었는지 확인해 본다.	
2단계	문제가 있는 부분이 발견되면 수정한다.		
3단계	1단계와 2단계 과정을 여러 번 반복하여 완성도 있는 원고로 다듬는다.		

7

어떠한 형식에 이야기를 담을 것인가

모든 이야기에는 이야기를 하나로 연결하는
논리적인 흐름과 순서가 있다.

7. 어떠한 형식에 이야기를 담을 것인가

모든 이야기에는 이야기를 하나로 연결하는 논리적인 흐름과 순서가 있다. 그것은 시간적인 순서나 공간의 이동, 이야기의 패턴을 반복함으로써 생기는 것일 수도 있고, 다른 관점을 비교하거나 대조하여 보여 주는 것일 수도 있다. 이야기의 흐름과 순서는 어린이들에게 리듬감을 느끼게 해 주고, 글의 내용을 예측하게 해 주며, 심리적인 만족감을 느끼게 해 준다. 다양한 이야기 형식이 갖는 규칙성을 살펴보는 것은 작가가 순간적으로 떠오른 생각들을 정리하고 체계화하는 데 도움을 줄 수 있을 것이다.

1) 시간의 흐름

시간의 흐름을 살펴보자. 아침부터 밤까지 하루 동안 일어난 일일 수도 있고, 일주일이나 일 년, 사계절 동안 일어난 일일 수도 있다. 시간의 흐름을 따라가다 보면 이야기의 전개가 억지스럽지 않고 자연스럽게 이루어진다.

『오늘은 좋은 날 *A Good Day*』(2011)은 제목에서 명확히 드러나는 것처럼, 하루 동안 꼬마 아이와 동물들에게 생긴 여러 가지 일들을 보여 준다. 이야기의 도입은 오늘 벌어진 사건들과 그로 인한 감정에서 시작한다. 작가는 제목과 달리 첫 장에서 "오늘은 별로 좋지 않은 날이었어요."라고 밝히며 좋지 않은 사건을 전개하고 있다. 사건의 순서는 긴밀하고 짜임새 있게 1→2→3→4의 순서로 벌어진다. 그러나 중반부에는 반전을 이루어 좋지 않은 일이 4→3→2→1의 해결

과정의 순서를 거쳐 재편성된다. 어려움들은 다 저마다 긍정적인 방향으로 전환되고, 여자아이에게도 영향을 미쳐 "엄마, 오늘은 좋은 날이에요." 라고 말하며 마무리되고 있다. 이것이 만약 4→3→2→1의 순서가 아니라 3→4→1→2 등의 순서로 뒤죽박죽 해결되었다면, 이 책에서 주는 완결감은 없었을 것이다. 시간의 흐름과 사건의 흐름은 깊은 관련성이 있으며 작가라면 반드시 고려하여야 할 부분이다.

7-1. 『오늘은 좋은 날』(케빈 헹크스 글 · 그림, 신윤조 옮김, 마루벌, 2011). 좋지 않은 일로 시작했던 하루가 결국은 기분 좋게 끝나는 모습을 밝고 경쾌하게 표현하고 있다.

어떤 그림책은 특정 요일을 대상으로 시간을 명확하게 보여 주기도 한다. 『이상한 화요일 *Tuesday*』(2002)은 '화요일'에 벌어진 이상한 사건을 저녁 8시부터 다음날 아침까지 순서대로 보여 주고 있다. 이 책은 표지에서부터 특정한 시간을 암시하고 있으며 책의 내용에서도 8시쯤, 밤 11시 21분, 새벽 4시 38분 등 시간의 변화를 그림과 함께 보여 주고 있다. 낮에 쉼 없이 움직이고 활동하는 사람들에게 밤은 휴식을 취하거나 잠을 자는

7-2. 『이상한 화요일』(데이비드 위스너 글 · 그림, 비룡소, 2002). 어느 화요일에 벌어지는 신기한 일들을 다루고 있다.

시간이다. 사람들에게 밤은 정지와 고요를 상징한다. 하지만 반대로 사람들이 활동하지 않는 밤은 동물이나 무생물들에게는 활기와 생명력을 부여하는 시간이 될 수도 있다. 『이상한 화요일』은 시간의 관습적인 의미를 이용하여 동물과 사물이 움직이는 화요일 밤의 신비로운 사건에 대해 이야기 하고 있다.

『일곱 마리 눈먼 생쥐 *Seven Blind Mice*』(1999)는 일주일이라는 시간적인 흐름을 제시하고 있다. 일곱 마리라는 생쥐의 수는 월, 화, 수, 목, 금, 토, 일의 일곱 날짜와 같다. 일곱 마리 생쥐가 일주일 동안 코끼리의 모습을 관찰하는 것은 독자가 이야기와 논리적인 구성을 쉽게 이해할 수 있도록 도와준다.

7-3. 『일곱 마리 눈먼 생쥐』(애드 영 글 · 그림, 최순희 옮김, 시공주니어, 1999). 일곱 마리 눈먼 생쥐가 코끼리의 각 부분을 만진 후, 코끼리를 상상하는 이야기다.

『타샤의 특별한 날 *A Time to Keep: The Tasha Tudor Book of Holidays*』(2008)은 할머니 타샤가 실제로 있었던 특별한 날의 추억을 손녀에게 들려주는 이야기다. 1월에서 12월까지 월별로 소개되는 할머니의 추억을 읽으면서 독자는 열두 달의 의미와 사계절의 흐름, 나아가 특별한 시간을 기다리는 행복에 대해서 자연

7-4. 『타샤의 특별한 날』(타샤 튜더 글 · 그림, 공경희 옮김, 윌북, 2008). 할머니가 자신의 어린 시절에 행복했던 열두 달을 손주에게 들려주는 이야기다.

스럽게 인식하게 된다.

어떤 그림책은 봄, 여름, 가을, 겨울 사계절의 시간적 변화를 보여 주기도 한다. 『올드 베어 *Old Bear*』(2010)는 나이 든 곰이 겨울잠을 자는 동안 곰이 살아온 시간

7-5. 『올드 베어』(케빈 헹크스 글 · 그림, 석승환 옮김, 마루벌, 2010). 나이 많은 곰 올드 베어의 이야기를 통해 곰의 생태와 시간의 흐름을 느끼게 해 주는 이야기다.

을 계절별로 보여 주고 있다. 일주일이나 일 년은 사람들의 약속에 의해 생겨난 흐름이지만 봄, 여름, 가을, 겨울은 아침에 해가 떠서 저녁에 해가 지는 것과 같이 자연이 만든 시간이다. 이것은 곰이 태어나서 나이가 들어가는 것과 같다. 그러므로 『올드 베어』에서 느껴지는 시간의 흐름은 숙연하고도 안타까움을 자아낸다.

시간은 눈에 보이지 않지만 누구에게나 주어진 것이며, 끝없이 앞으로 전진하므로 역행할 수 없다. 그림책에서 보여 주는 시간의 흐름은 어린이들에게 "시간이란 이런 것이다."라고 말하지 않아도 자연스럽게 받아들일 수 있게 한다. 시간 자체가 우리 삶의 자연스러운 전개 방식이며 무엇보다 논리적이기 때문이다.

2) 공간의 이동

사람들은 일상에서 탈피하여 미지의 세계로 떠나기를 원한다. 그러나 집을 떠난 여행이 항상 편안함과 즐거움을 주는 것은 아니다. 여행은 일상의 안일함에서 벗어나 새로운 도전과 모험을 준다. 사람들에게 많은 것을 느끼고 배우고 성장할 기회도 주지만, 고난과 시련을 안겨 주기도 한다. 고난과 시련이 나쁜 것만은 아니다. 이를 통해 새롭게 성장한 자신을 발견하기 때문이다. 그러나 여행의 참맛은 집으로 돌아오는 것이다. 낯선 곳으로 가기만 한다면 불안함의 연속이겠지만, 돌아옴으로써 안도감과 평안함을 준다. 그림책에서도 '여행'을 통해 용기와 지혜를, '회귀'를 통해 안도감과 종결감을 느끼게 한다. 그림책에서 공간은 안정과 모험, 확실성과 불확실성, 상상과 현실의 공간으로 나누어 볼 수 있다.

『말괄량이 기관차 치치 *Choo Choo*』(1995)는 매일 정해진 길을 따라 짐과 사람을 나르는 꼬마 증기기관차의 이야기다. 어느 날 치치는 반복되는 일상에서 벗어나 모험의 공간으로 떠난다. 처음에는 새롭고 신났으나, 불안하고 위험한 상황에 놓이게 된다. 그러나 이 과정에서 자신이 가진 것의 소중함을 알게 되고 더불어

7-6. 『말괄량이 기관차 치치』(버지니아 리 버튼 글 · 그림, 홍연미 옮김, 시공주니어, 1995). 말괄량이 치치의 모험담을 생생하게 묘사한다.

사는 삶을 이해하게 된다. 떠나지 않았다면 알 수 없었을 것이다. 그러므로 치치의 모험은 성장을 위해 필수적인 과정이다.

『사윗감 찾아 나선 두더지』(1997)는 우리나라의 전래 동화다. 두더지 부부는 두더지를 하찮게 여겨서 힘이 센 사윗감을 찾아 길을 떠난다. 해와 구름, 바람을 찾아가 보지만, 결국 가장 훌륭한 사윗감은 두더지였다는 사실을 알게 된다. 두더지 부부는 어딘가에 있을 사윗감을 찾기 위해 불확실성의 공간을 찾아 헤매면서 '자신의 진정한 가치'를 깨닫는다.

7-7. 『사윗감 찾아 나선 두더지』(김향금 글, 이원영 그림, 보림, 1997). 딸을 위해 특별한 신랑감을 찾던 두더지 부부가 결국 가장 훌륭한 신랑감은 두더지라는 것을 알게 되는 이야기다.

『고릴라 *Gorilla*』(1998)에서 한나와 고릴라는 현실의 공간에서 상상의 공간으로 이동한다. 전반부에서 보여 주는 현실의 공간은 한나가 아빠와 소통하지 못하는 단절의 공간이고, 중반부 이후에 보여 주는 상상의 공간은 한나의 욕구를 충족시켜 주는 소통의 공간이다. 공간의 이동은 매력적인 이야기 형식이 될 수 있다. 공간의 이동을 통해 주인공은 변화하고 성장한다. 여행이 사람을 성장시키는 것과 같다.

7-8. 『고릴라』(앤서니 브라운 글 · 그림, 장은수 옮김, 비룡소, 1998) 고릴라를 좋아하는 아이가 상상의 세계에 다녀와서 아빠와 소통하게 되는 이야기다.

3) 비교와 대조

비교와 대조는 전달하고자 하는 의미를 더욱 분명하게 보여 주는 장점을 갖고 있다.

『호호마녀와 낄낄마녀 *Alice and Greta: A Tale of Two Witches*』(2002)는 착한 호호마녀와 못된 낄낄마녀를 왼쪽과 오른쪽에 배치하여 대비적으로 보여 준다.

7-9 『호호마녀와 낄낄마녀』(스티븐 J. 시몬즈 글, 시드 무어 그림, 이수은 옮김, 문학동네어린이, 2002). 호호마녀와 낄낄마녀가 벌이는 마법 대결을 유쾌하게 표현한다.

각 마녀의 행동, 웃음, 마법 등을 비교해 봄으로써 착함과 악함을 쉽게 이해할 수 있다.

『셜리야, 물가에 가지 마! *Come away from the water, Shirley*』(2003)는 본문 왼

7-10 『셜리야, 물가에 가지 마!』(존 버닝햄 글 · 그림, 이상희 옮김, 비룡소, 2003). 물가에서 위험하다고 잔소리하는 부모와 상상 놀이에 빠진 셜리의 모습을 보여 준다.

쪽에는 현실의 부모를, 본문 오른쪽에는 상상 세계의 설리를 보여 준다. 독자는 본문 왼쪽을 보면서 현실의 세계에 사는 어른의 관점을, 본문 오른쪽을 보면서 상상 세계에 사는 어린이의 관점을 비교해 볼 수 있다.

이러한 비교와 대조 형식은 서로 다른 주인공의 말과 행동을 비교해 볼 수 있게 도와주며, 서로 다른 생각이나 관점을 이해할 수 있게 해 준다. 대조되는 캐릭터나 관점을 쓰고 싶다면, 비교와 대조의 형식을 사용해 보는 것이 좋다. 작가가 말하고자 하는 바를 한눈에 확실히 전달할 수 있기 때문이다.

4) 글자나 숫자가 가진 규칙과 순서에 담기

글자나 숫자가 가진 기본 규칙을 이용하여 이야기를 만들 수도 있다. 예를 들어, 글자의 초성은 ㄱ에서 시작하여 ㅎ까지 순서대로 써야 하는 틀이 있고, 숫자는 1에서 시작하여 점점 커지거나 10에서 시작하여 점점 줄어드는 형태를 갖는다.

7-11. 『동물친구ㄱㄴㄷ』(김경미 글 · 그림, 웅진주니어, 2006). ㄱㄴㄷ의 글자 순서로 동물들이 등장하는 이야기다.

이러한 규칙은 뒤에 오는 이야기를 예측할 수 있게 도와주고, 독자에게 책장을 넘기도록 하는 동기를 부여하며, 규칙 자체가 책 읽기를 즐겁게 만들어 준다. 꼭 틀에 맞추어야 하는 것은 아니지만, 이 틀을 깨고 싶다면 논리적인 설득이 필요하다. 누구나 공감할 수 있는 형식이어야 한다.

『동물친구 ㄱㄴㄷ』(2006)에서는 동물들의 이름이 ㄱㄴㄷ의 순서대로 나온다. 이야기를 이끌어 가는 것은 꿀벌이지만, 어린이독자는 꿀벌의 입장이 되어 동물들을 순서대로 만나게 된다. 순서를 예측할 수도 있고, 자기가 아는 동물의 이름이 어떤 글자로 시작되는지 알 수도 있어 학습과 재미라는 두 마리 토끼를 잡을 수 있다.

『숫자야 어디 있니?』(2009)는 숫자가 생활 속에 어떻게 쓰이는지 그림 속에서 찾아보는 숨은 그림 찾기 형식이다. 예를 들어, 숫자 2를 보면 우리 손도 두 개, 눈도 두 개, 귀도 두 개 등 그림에 나타난 사물의 수를 세면서 숫자(2)와 개수(두 개)의 관계를 자연스럽게 알게 된다. 작가는 수 세기와 숫자가 관련이 있음을 놀이를 통해 접근하고 있다. 알파벳북과 마찬가지로 숫자책도 유추가 가능하여 독자가 스스로 책을 넘기도록 하는 동기를 부여하고 있다.

7-12. 『숫자야 어디 있니?』(윤아해 글, 혜경 그림, 뜨인돌어린이, 2009). 생활 속에 숨어 있는 숫자를 찾아보면서 주변의 숫자에 관심을 갖는 이야기다.

다양한 이야기를 정해진 틀에 넣는다는 점에서 알파벳북과 숫자책은 도전해 볼 만하다. 그러나 쉽지만은 않을 것이다. 이 형식이 꾸준히 사랑을 받는 이유는 개념을 습득하기 위한 어린이들에게 꼭 필요한 책이며, 작가에게도 정해진 틀에 다양한 이야기를 적용해 봄으로써 글쓰기 훈련에 도움이 되기 때문이다.

5) 이야기 안에 이야기 넣기

『에리카 이야기 *Erika's Story*』(2011)는 에리카라는 유대인이 제2차 세계대전에서 겪은 자신의 경험을 들려주는 액자 형식으로 되어 있다. 작가는 에리카를 만나 그녀의 이야기를 들었고, 그 이야기를 독자에게 다시 들려주고 있다. 이 부분은 액자의 틀에 속한다. 액자 속 사진에 해당되는 내용은 두 부분으로 구성되어 있다. 흑백으로 표현되는 유추 부분과 색상으로 표현되는 경험 부분이다. 에리카는 부모들이 기차를 타고 수용소로 끌려가면서 자신을 기차 밖으로 던졌을 거라고

7-13. 『에리카 이야기』(루스 반더 제 글, 로베르토 이노센티 그림, 차미례 옮김, 마루벌, 2011). 제2차 세계대전에 일어난 유대인 학살을 에리카의 이야기를 통해 전달하고 있다.

유추한다. 그림은 암울한 느낌을 주는 흑백으로 표현하고 있다. 자신이 기억하고 확신하는 부분은 색상으로 그려져 전반부와 대비된다. 이와 같이 이야기 속 이야기 형식은 중심 이야기에 더 집중하게 만든다. 『에리카 이야기』는 액자 형식을 취함으로써 작가가 만난 에리카가 실존 인물처럼 느끼게 하는 효과가 있다. 이와 같이 이야기 속 이야기 형식은 중심이야기에 더 집중하게 만들어 준다.

새로운 이야기의 형식을 쓰고 싶다면 이야기 속의 이야기 형식을 써 보는 것도 재미있을 것이다.

6) 이야기 전체에 리듬감 주기

그림책에는 반복되는 구와 절을 사용해서 리듬을 만들기도 하고 페이지의 반복된 흐름으로 리듬감을 주기도 한다. 주로 이야기를 병렬식으로 나열할 때 사용하는 방법이다. 그림책에서 반복은 아주 중요한 요소다.

이 책에서는 장면의 반복을 다음과 같은 용어로 사용한다. 한 장면의 반복을 '한 박자 구조', 두 장면에 대한 묶음의 반복을 '두 박자 구조' 그리고 세 장면에 대한 묶음의 반복을 '세 박자 구조'라고 명명하였다. 이는 이 책의 저자들이 만든 용어로 그림책 전체를 리듬감 있는 이야기로 보고 박자로 비유한 것이다.

(1) 한 박자 구조

한 박자 구조는 두 페이지, 한 바닥이 한 박자로 이루어진 구조다. 『김밥놀이 좋아』(2007)처럼 각 바닥에 놀이가 하나씩 등장하는 병렬 형식을 말한다. 한 장면에 하나의 놀이가 소개되므로 빠른 전개를 보인다.

7-14. 『김밥 놀이 좋아』(최순영 글, 조민경 그림, 시공주니어, 2007). 엄마가 아이에게 재미있게 김밥놀이를 해 주는 이야기다.

(2) 두 박자 구조

『열두 띠 동물 까꿍놀이』(1998)는 앞 장면과 뒷 장면이 하나의 묶음으로 이루어져 반복되는 형식이다. 예를 들어, 앞 장면에서 "없다. 멍멍 강아지 없다."라

7-15. 『열두 띠 동물 까꿍놀이』(최숙희 글 · 그림, 보림, 1998). 열두 띠 동물과 아이의 재미있는 까꿍놀이 모습을 담고 있다.

고 말하고 다음 장면에서 "까꿍!" 하며 두 눈을 반짝 뜬 동물의 모습을 보여 준다. 이러한 패턴이 계속 반복되면서 리듬감을 살려 준다. 이것은 전형적인 두 박자 형식이다. 두 박자 구조를 반복시킴으로써 어린이들은 이야기의 구조를 즐기고 예측할 수 있다. 뿐만 아니라 이 책은 한 장면 안에서 '없다.' 라는 단어를 반복하고 있고, '없다.' 의 대구가 되는 '까꿍!' 도 반복하고 있어 단어를 통한 리듬을 만들고 있다. 반복되는 단어나 구, 절은 리듬을 만들고, 리듬은 어린이들에게 익숙한 말이 되어 되풀이해서 말하고 싶은 욕구를 불러일으킨다. 어린이들이 그림책을 읽고 난 뒤 따라하고 중얼거리게 되는 것은 노래와 같은 리듬감 때문이다.

묻고 대답하는 형식도 전형적인 두 박자 구조다. 『누구야?』(2005)는 앞바닥에 묻고, 다음 바닥에 대답하는 문답 형식이다. 묻고 대답하는 글을 쓰고 싶다면 두 박자 구조가 가장 적합하다.

7-16. 『누구야?』(정순희 글 · 그림, 창비, 2005). 동물들을 추측해 보고 알아맞히는 형식의 그림책이다.

(3) 세 박자 구조

『별이 되고 싶어』(2008)는 다양한 장례 문화를 보여 주는 정보그림책이다. 앞에서도 언급했듯이, 이 책은 세 박자의 구조로 되어 있다. 하나의 장례 문화가 세 바닥에 걸쳐 소개되고, 이 형식을 반복하여 리듬과 운율을 만들고 있다.

바로 답을 알 수 있는 두 박자 구조와 달리 '들어가기, 펼치기, 마무리하기'로 풍성한 이야기가 되풀이된다. 그러므로 세 박자 구조는 전체 이야기 안에 작은 이야기들이 반복되는 구조를 갖고 있다.

한 박자 구조는 빠른 전개를, 두 박자 구조는 단순한 리듬감을, 세 박자 구조는 다소 느린 듯하지만 풍성한 이야기감을 느낄 수 있다. 그러나 이것이 정해진 규칙은 아니다. 얼마든지 변형이 가능하다. 그러나 변형하기 전에 앞에 말한 구조를 따라 써 보는 것은 글쓰기의 기본 형식을 익히는 데 도움이 될 것이다.

7) 원고 쓰는 형식

그림책의 형식을 시간의 흐름, 공간의 이동, 비교와 대조, 글자나 숫자의 순서 등 다양하게 알아보았다. 다양한 형식 중에서 하나를 골라 정했다면, 그림책 원고로 어떻게 나타내야 할까? 그림책의 원고 쓰는 형식이 정해져 있는 것은 아니지만, 일반적으로 다음과 같은 형식을 따르고 있다. 만약 16바닥을 기준으로 장면을 구성한다면, 장면표시는 # 뒤에 숫자를 쓰는 것으로 나타낸다. 그 다음 그림 설명을 간단히 하고 텍스트를 넣는다. 다음의 예를 보면 쉽게 이해할 수 있을 것이다. 다음은 ㄱㄴㄷ의 형식을 따르고 있는 『글자가 사라진다면』(2008)을 출판사에 보낼 때 썼던 원고다.

7-17 『글자가 사라진다면』(윤아해 · 육길나 · 김재숙 글, 혜경 그림, 공경희 옮김, 뜨인돌어린이, 2008). 글자가 사라진다면 글자로 시작되는 단어도 사라지고, 그러면 어떤 일이 생길지 재미있게 표현하고 있다.

1. (그림 설명: 글자들이 둥둥 떠다니고 아이가 깜짝 놀라고 있다.)

ㄱㄴㄷ이 사라진다고?

2. (그림 설명: 동물원 풍경. ㄱ이 들어간 동물들이 다양하게 나타난다.)

ㄱ이 사라진다면
고릴라도 볼 수 없겠네?
기린이랑 곰도 볼 수 없고
공작새의 멋진 꽁지도 볼 수 없을 거야.

개미들은 좋겠다.
개미핥기가 없어져서.
참, 개미도 사라지는 거잖아?

ㄱㄴㄷ이 사라진다고?

ㄱ이 사라진다면
고릴라도 볼 수 없잖아?
기린이랑 곰도 볼 수 없고
공작새의 멋진 꽁지도 볼 수 없을 거야.
개미들은 좋겠다. 개미핥기가 없어져서.
참, 개미도 사라지는 거잖아?

ㄴ이 사라진다면
눈도 내리지 않겠지?
눈사람도 만들 수 없고
나랑 너랑 눈싸움도 할 수 없을 거야.
아이, 추워!
이 추운 겨울에 난로도 사라지는 거야?

#3. (그림 설명: 겨울 눈 오는 풍경. 아이들이 눈사람도 만들고 눈싸움도 하고, 난로에 몸을 녹이고 있다.)

ㄴ이 사라진다면

눈도 내리지 않겠지?

눈사람도 만들 수 없고

나랑 너랑 눈싸움도 할 수 없을 거야.

아이, 추워!

이 추운 겨울에 난로도 사라지는 거야?

이 원고가 그림책으로는 다음과 같이 표현되어 출간되었다.

앞의 예에서 보는 바와 같이 ㄱㄴㄷ의 형식은 ㄱ부터 ㅎ까지 14바닥을 차지한다. 이 그림책은 도입과 마무리를 넣어 16바닥으로 구성하였고, 각 장면은 그 장면에 나오는 자음으로 구성된 단어들을 하나의 주제로 묶어 구성하였다. #2를 보면 우리말에는 ㄱ으로 시작되는 단어가 많지만, 그중에 동물들이 들어간 단어를 뽑아 동물원을 배경으로 설정하였다. #3을 보면 눈, 눈사람, 난로 등의 단어를 뽑아 겨울 풍경을 보여 주려고 하였다.

이와 같이 그림을 설명하는 이유는 작가가 처음에 갖고 있는 아이디어를 그림 작가에게 전달할 필요가 있기 때문이다. 그렇다고 그림 설명을 너무 자세히 할 경우 그림 작가의 영역을 침범할 수 있으므로 되도록 글작가의 의도만 드러날 수 있을 정도로 설명한다.

장면의 전환은 ㄱㄴㄷ의 순서대로 나타나는 글자책이나 1, 2, 3의 순서대로 나타나는 숫자책처럼 형식이 정해진 책에서 가장 두드러지고, 배경이 바뀌거나 등장인물의 행동이 변화하거나 새로운 등장인물이 나타날 때도 달라진다.

영아책이라면 10~12바닥으로, 유아책이라면 16바닥으로 구성하여 앞과 같은 원고의 형식에 맞춰 글을 써보자. 구성하다가 보면 장면이 약간 모자랄 수도 있고, 조금 많을 수도 있다. 그러나 영아책과 유아책의 분량에 맞추어 쓰도록 노력해 보자. 자신이 말하고자 하는 바를 이야기의 구조와 원고의 형식에 맞게 배치하는 훈련이 필요하기 때문이다. 모자라지도 넘치지도 않는 적절한 원고를 쓰는 훈련은 반복을 통해 충분히 습득할 수 있다.

8

독자의 눈과 마음을 사로잡는 제목은 무엇인가

그림책의 제목은 사람의 얼굴과 같다.

8. 독자의 눈과 마음을 사로잡는 제목은 무엇인가

그림책 한 권이 완성되기까지 작가는 많은 고민을 한다. 그림책의 캐릭터가 매력적이고, 배경도 신선하며, 이야기도 재미있게 만들고, 형식이 완벽하다 하더라도, 제목이 재미없다면 그 책은 매력적이지 못할 것이다. 그림책의 제목은 사람의 얼굴과 같다. 해마다 쏟아져 나오는 수천, 수만 권의 책들 중에서 독자가 관심을 갖고 펼쳐 보게 만들려면 제목에서부터 독자의 눈과 마음을 사로잡아야 한다.

제목을 정할 때 생각해 보아야 할 몇 가지 중요한 요소들을 살펴보자. 그림책의 제목이 갖는 여러 가지 특징과 규칙성을 살펴보면 좋은 제목이 어떤 것인지 알게 될 것이다.

1) 간결하게 표현하기

그림책의 제목은 되도록 간결한 것이 좋다. 왜냐하면 제목이 간결하면 말하기 쉽고 기억하기 쉽기 때문이다. 짧은 제목에는 그 책이 말하고자 하는 핵심이 들어 있다. 때로는 책 전체를 아우르는 은유나 상징이 되기도 한다. 예를 들면, 『고릴라』(1998)는 한나가 좋아하는 동물이면서 아버지를 대신하는 캐릭터로 등장한다. 그러므로 '고릴라' 라는 제목은 이 책이 말하고자 하는 '소통' 의 핵심이며, 한나가 좋아하는 대상의 상징이기도 하다. 그래서 하나의 단어로 이루어진 간결한 제목이지만 많은 의미를 담고 있다.

또한 그림책의 제목은 의미뿐 아니라 시각적 요소를 고려하여 간결하게 하기도 한다. 『꽃신』(2010)의 경우, 표지를 구성하는 과정에서 글과 그림의 시각적인 효과를 고려하여 제목을 수정하였다. 처음 작가가 만든 제목은 '꽃신의 비밀'이었으나 가마 창문 여백에 들어가기에 적합하지 않았다. 그래서 제목을 '꽃신'으로 바꾸어 구성해 보았더니 시각적으로도 효과적이었고, 제목도 더 간결해져서 좋은 반응을 얻고 있다(제2장에 있는 『꽃신』 표지를 다시 한 번 보자).

2) 주인공의 특징이나 이름을 부각시키기

『용감한 아이린 *Brave Irene*』(2000), 『부루퉁한 스핑키 *Spinky Sulks*』(1995)와 같이 제목에 주인공의 이름을 넣거나, 이름과 함께 특징을 묘사하는 경우가 있다. 아이린은 용감하다는 특징을 나타내고, 스핑키는 기분이 좋지 않음을 제목에서 잘 표현하고 있는 것이다. 특히 존 버닝햄은 주인공의 이름을 제목으로 많이 사용한다. 『지각대장 존 *John Patrick Norman Mchennessy, the boy who was always late*』(1995), 『셜리야, 물가에 가지 마 *Come away from the water, Shirley*』(2003), 『셜리야, 목욕은 이제 그만 *Time to get out of the bath, Shirley*』(2004), 『검피 아저씨의 뱃놀이 *Mr. Gumpy's Outing*』(1996), 『검피 아저씨의 드라이브 *Mr. Gumpy's Motor Car*』(1996), 『알도 *Aldo*』(2001)는 모두 주인공의 이름이면서 그들이 갖고 있는 특징이나 하는 행동을 보여 준다.

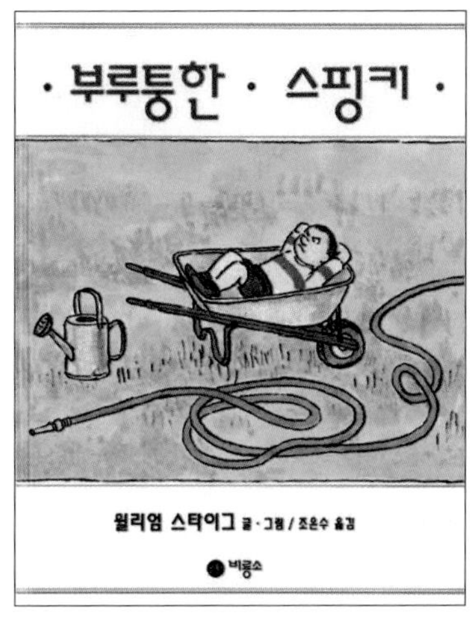

8-1. 『부루퉁한 스핑키』(윌리엄 스타이그 글 · 그림, 조은수 옮김, 비룡소, 1995). 식구들이 자신을 이해해 주지 않아 화가 난 스핑키의 이야기다.

8-2. 『지각대장 존』(존 버닝햄 글 · 그림, 박상희 옮김, 비룡소, 1995). 존 패트릭 노먼 맥헤너시라는 아이가 날마다 지각하게 되는 이야기다.

주인공의 이름과 특징을 제목으로 사용하면 그 책의 전반적인 분위기나 앞으로 일어날 사건을 예측할 수 있고, 사람의 이름처럼 확실한 대표성을 가진다고 할 수 있다.

3) 질문을 통해 호기심을 유발하기

그림책에는 질문을 통해 호기심을 유발하는 제목들이 많다.

독자들은 『모기는 왜 귓가에서 앵앵거릴까? *Why mosquitoes buzz in people's ears*』(2003) 라는 제목을 접하면 '어? 정말 왜 그런걸까?' 하고 생각하면서, 책의 내용이 궁금해진다. 이러한 제목들은 질문을 던짐으로써 독자가 책을 읽고 싶은 욕구를 갖게 한다.

8-3. 『모기는 왜 귓가에서 앵앵거릴까?』(버나 알디마 글, 리오 딜런 외 그림, 김서정 옮김, 보림, 2003). 모기가 왜 소리를 내며 귓가에서 앵앵거리는지의 유래를 전래동화의 형식으로 재미있게 풀어낸 책이다.

4) 일반적이지 않은 정의로 호기심을 유발하기

일반적으로 '하마'는 입이 '크다' '뚱뚱하다'라는 이미지를 갖고 있다. 그러나 허은실 작가는 '하마는 엉뚱해'라는 제목을 붙임으로써 우리가 갖고 있는 하마의 일반적인 이미지를 극대화하는 데 성공했다.

『하마가 엉뚱해』(2004)라는 제목은 독자들에게 깊은 인상을 주었으며, 재미있는 제목으로 기억하게 되었다. 비슷한 제목으로 성공을 거둔 작품들이 있다.

8-4. 『하마는 엉뚱해』(허은실 글, 윤정주 그림, 웅진주니어, 2004). 하마에 대한 정보를 재미있는 이야기 형식으로 표현하고 있다.

8-5. 『타조는 엄청나』(조은수 글 · 그림, 웅진주니어, 2004). 타조에 대한 정보를 재미있는 이야기 형식으로 표현하고 있다.

8-6. 『똥은 참 대단해』(허은미 글, 김병호 그림, 웅진주니어, 2004). 똥에 대한 정보를 재미있는 이야기 형식으로 표현하고 있다.

『타조는 엄청나』(2004), 『똥은 참 대단해!』(2004) 등은 타조나 똥의 특성을 '엄청나' '대단해' 같은 형용사로 정의하고 있다. 타조가 '빠르다' '날지 못한다' 라는 특성을 엄청난 것으로 만들어 주었고, 똥은 지저분한 대상에서 대단한 대상으로 인식을 변화시켜 주었다. 다소 딱딱하다는 느낌을 주는 정보그림책이 작가가 만든 신선한 제목으로 인해 재미있는 책으로 탈바꿈하게 된 것이다.

5) 극단적인 제목을 통해 궁금증 유발하기

일반적으로 성인은 어린이에게 순화되고 정제된 언어를 사용하고자 노력한다. 그러나 그림책에서는 때로 메시지를 강하게 전달하기 위해서 '안 돼' 나 '절대 안 해' 와 같은 부정적인 어휘를 제목으로 사용하기도 한다.

『안 돼, 데이빗! *No, David!*』(1999)은 호기심이 발달하고 자기 주도성이 증가하는 어린이가 부모와 겪는 갈등을 "안 돼, 데이빗!"이라는 말로 강조하고 있다. 다소 극단적이기는 하지만 이야기의 내용을 가장 잘 대변하는 제목이기도 하다. 그러나 이 책의 제목과 내용은 동일하지 않다. 제목에서는 "안돼!"라고 말하지만, 책의 내용은 엄마가 그 아이를 얼마나 사랑하고 있는지를 역설적으로 보여 주고 있기 때문이다.

이와 반대로 책제목과 내용이 동일한 메시지를 전달하는 것도 있다.

『언제까지나 너를 사랑해 *Love you forever*』(2000)는 긍정적인 제목에서 느껴지는 메시지가 책 내용에도 그대로 전달된다.

『난 토마토 절대 안 먹어 *I will never not ever eat a tomato*』(2001)에는 토마토를 절대로 먹지 않겠다는 동생이 등장한다. '절대로' 먹지 않겠다는 동생에게 밥을 먹여야 하는 오빠는 난감하다. 작가가 독자에게 던진 질문처럼 동생은 '절대로' 먹지 않았을까? 당신도 글을 쓰기

8-7. 『언제까지나 너를 사랑해』(로버트 먼치 글 · 그림, 김숙 옮김, 북뱅크, 2000). 아이에 대한 엄마의 사랑을 노래에 담아 보여 주는 이야기다.

8-8. 『난 토마토 절대 안 먹어』(로렌 차일드 글 · 그림, 조은수 옮김, 국민서관, 2001). 토마토를 싫어하는 로라가 편식 습관을 고치는 이야기를 재미있게 표현하고 있다.

전에 독자이므로 궁금하면 책을 읽어 보자. 이와 같이 제목에서 주는 극단적인 상황이나 말은 독자의 관심을 불러일으키고, 극적인 해결을 기대하게 만든다.

6) 역설적인 제목 붙이기

『행복한 우리 가족』(2006)은 아주 평범한 제목이다. 그러나 제목의 이미지에서 금지와 폭탄을 보여 줌으로써 그저 행복한 가족이 아님을 암시하고 있다. 만약 이런 암시가 없는 '행복한 우리 가족' 이었다면, 정말 매력적이지 않은 제목이었을 것이다. 그러나 이 책은 '행복한 우리 가족' 을 반어적으로 사용함으로써 과연 행복이란 무엇인지 다시 한 번 생각해 보게 한다.

8-9. 『행복한 우리 가족』(한성옥 글 · 그림, 문학동네어린이, 2006). 하루의 가족여행 동안 벌어지는 사건을 통해 가족의 모습을 풍자적으로 표현하고 있다.

7) 비현실적인 제목 붙이기

『탁탁 톡톡 음매 젖소가 편지를 쓴대요 *CLICK, CLICK, MOO: Cows that type text*』(2001)는 동물인 젖소가 편지를 쓴다는 현실적으로 불가능한 상황을 제목으로 보여 주고 있다. 독자는 제목만으로도 도대체 젖소가 왜 그런 행동을 하는지 책의 내용에 관심을 갖게 된다.

『구름빵』(2007)은 비현실적인 제목이다. 구름으로 빵을 만든다는 것은 불가능하기 때문이다. 만약 구름으로 빵을 만들면 어떻게 될까? 이 책의 작가는 자연현상과 음식을 결합하여 독특한 제목을 지음으로써 독자의 호기심을 불러일으키고 있다. 백희나 작가의 대표작 『구름빵』뿐 아니라, 『달샤베트』도 같은 특징을 가지고 있다.

8-10. 『탁탁 톡톡 음매 젖소가 편지를 쓴대요』(도린 크로닌 글, 베시 루윈 그림, 이상희 옮김, 주니어랜덤, 2001). 아저씨와 농장 동물들 간에 벌어지는 여러 가지 재미있는 사건들을 다루고 있다.

8-11. 『구름빵』(백희나 글 · 그림, 한솔수북, 2004). 구름으로 만든 구름빵을 먹고 벌어지는 재미있는 일들을 다루고 있다.

8) 독자의 요구를 고려한 제목 짓기

책 제목을 완성하기 전에 유사한 제목이 있는지 찾아보는 것은 필수다. 그러나 제목은 작가만 지을 수 있는 것이 아니다. 물론 작품의 내용이나 전달하고자 하는 메시지를 작가가 가장 잘 알겠지만, 때로는 함께 작업하는 사람들로부터 도움을 받기도 하고, 편집자의 제안을 받아들이기도 한다.

『글자가 사라진다면』(2008)이 출간되기 전에는 『아주 중요한 ㄱㄴㄷ』이었다. 작가는 제목에서 글자가 갖는 의미가 중요하다는 사실을 부각하고 싶었다. 즉, '사과' 라는 이름이 없다면 이 세상에 '사과' 라는 대상이 없는 것처럼 이름은 중요한 것이고, 이름을 글자로 나타낼 수 있으므로 글자가 중요하다고 생각하였다. 그래서 제목에 '아주 중요한' 이라는 말을 넣기 원했다. 그러나 출판사는 제목에 '글자' 라는 표현이 들어가는 것이 학습을 중요하게 생각하는 학부모에게 더 매력적이라고 생각하였고, 지속적으로 제목을 바꿀 것을 제안하였다. 책의 의도는 드러나지 않았으나 마케팅 측면을 고려하여 결국 출판사의 의견을 수렴하였고, 제목을 수정하였다.

손톱그림은 왜 필요한가

손톱그림은 지금까지 해 온 그림책 작업을 시각화하는 과정이다.

9. 손톱그림은 왜 필요한가

그림책이 될 만한 좋은 소재를 발견하고, 매력적인 캐릭터도 만들고, 화자도 정하고, 시간적 · 공간적 배경도 정하고, 이야기도 흥미롭게 구성했다면, '스토리보드' 를 만들어 보라고 권해 주고 싶다. 그 이유는 그림책은 글과 그림이 조화를 이루어 하나의 이야기로 전달하는 종합적인 매체이기 때문이다. 그러므로 이야기를 만들고 그림 설명을 넣어 쓴 자신의 원고가 시각적으로 어떻게 보이는지 확인해 볼 필요가 있다. 즉, 이것은 지금까지 해 온 작업을 시각화하는 과정이다.

그림책을 만드는 과정에서 꼭 필요한 '스토리보드 만들기' 는 '손톱그림(thumbnail)' 이라고도 한다. 손톱그림은 정식 그림 작업에 들어가기 전, 아이디어를 정리하여 간단히 스케치로 표현하는 것이다. 이러한 과정은 작품의 전체적인 구성과 레이아웃 등을 알 수 있게 해 준다. 간단한 스케치 위주의 스토리보드라고 할 수 있다.

손톱그림 작업을 해 보면 이야기의 강약, 고조, 반복 등을 한눈에 볼 수 있다. 또한 장면의 전환이 자연스러운지 확인해 볼 수도 있다. 장면의 전환은 배경의 이동, 캐릭터의 등장이나 퇴장, 행동의 변화 등 새로운 그림이 필요한 부분에서 이루어져야 한다. 배경이 달라졌는데 한 장면에서 계속 설명하거나 새로운 캐릭터가 들어왔는데 같은 그림을 사용하거나 캐릭터의 행동이 달라졌는데 한 장면에 그대로 두어서는 안 된다. 그림에는 다양한 변화가 있어야 한다. 비슷한 그림이 반복되면 독자는 지루하게 느끼기 때문이다. 그러므로 글에서 변화가 생길 때에는 그림에서도 변화가 일어나게 해 주어야 한다.

때로는 행동이 연속적으로 변화할 경우 한 바닥(펼침면) 안에서 장면을 분할하여 사용할 수도 있다. 한 바닥을 여러 컷으로 분할할 경우, 각 컷마다 변화를 주어 독자가 변화를 한눈에 볼 수 있게 해 주어야 한다. 다음은 『팥죽할멈과 호랑이』(2006)의 한 장면이다. 호랑이의 행동을 장면 분할을 통해 효과적으로 보여 주고 있다.

9-1. 『팥죽할멈과 호랑이』(박윤규 글, 백희나 그림, 시공주니어, 2006). 팥죽할멈이 친구들의 도움을 받아 호랑이를 물리치는 이야기다.

그러면 이렇게 말하는 사람도 있을 것이다.

"저는 그림을 못 그리는데 손톱그림을 어떻게 만드나요?"

잘 그리지 못해도 그림을 그릴 줄 아는 사람은 간단하게 스케치를 하여 손톱그림을 만들어 볼 수 있다. 그러나 그림을 전혀 그릴 줄 모르는 사람이라면 파워포인트를 사용하라고 권해 주고 싶다. 파워포인트 작업은 그림을 전혀 그릴 줄 모르더라도 대략의 이미지를 가늠해 볼 수 있게 해 준다. 또한 더미북을 만드는 데 도움을 줄 수 있다. 다음 샘플을 보면 손톱그림 작업을 이해할 수 있을 것이다.

다음은 글과 그림을 함께 작업하는 박연철 작가의 손톱그림이다.

다음은 그림을 그리지 않는 글작가 윤아해의 파워포인트 작업이다.

9-2. 『어처구니 이야기』(박연철 글 · 그림, 비룡소, 2006). 어처구니들이 어떻게 지붕 위의 잡상이 되었는지에 관한 유래를 전통적인 소재들로 재미있게 창작한 이야기다.

9-3. 『다윗이 양들을 돌봐요』(윤아해 글, 장순녀 그림, 생명의 말씀사, 2009). 다윗의 양들은 성품도 생김새도 모두 다르지만 모두 멋지다.

손톱그림을 보면 알겠지만 그림의 고조, 강약 그리고 반복을 한눈에 알 수 있다. 그러므로 어느 부분을 수정해야 하는지, 이야기의 흐름이 어디에서 끊어지고 이어지는지 알 수 있어 원고를 수정하는 데 도움이 된다. 손톱그림 작업은 한 번에 끝나지 않는다. 대부분 여러 번의 과정을 통해 작품을 완성해 나간다. 이와 같은 과정을 통해 완성된 작품이 2005년 황금도깨비상을 수상한 박연철 작가의 『어처구니 이야기』(2006)이고, 윤아해 작가의 『다윗이 양들을 돌봐요』(2009)다.

그림을 잘 그리는 사람은 잘 그리는 대로, 그림을 그릴 줄 모르는 사람은 모르는 그대로 작품의 완성도를 위해 스토리보드를 만들어 보아야 한다. 귀찮아서, 시간이 많이 걸려서 혹은 자신이 없어서 등 여러 가지 이유로 이 과정을 생략하게 되면 중요한 이야기의 흐름을 놓칠 수도 있다. 책이 나온 뒤에는 수정할 수 없다. 책이 나오기 전에 부지런히 움직이고 고치자. 그게 좋은 책을 만드는 방법이다. 몸에도 좋고 오래 사랑받는 좋은 음식은 슬로우 푸드인 경우가 많다. 좋은 재료를 준비하고, 발효의 과정을 거치고, 오랜 시간 국물을 내어 정성이 담뿍 들어간 음식을 만들듯이 좋은 그림책도 숙성의 기간이 필요하다.

10

견본책은 어떻게 만드는가

견본책을 만들어보면 판형이 적합한지
책장을 넘길 때 이야기의 흐름에 문제가 없는지
확인해 볼 수 있다.

10. 견본책은 어떻게 만드는가

손톱그림으로 스토리보드를 만들었다면 이제 '견본책(dummy book)'을 만들어 보자. 견본책은 자신이 만들고자 하는 그림책과 가장 가까운 형태의 모형을 말한다. 견본책을 만들어 보면 판형이 적합한지, 책장을 넘길 때 이야기의 흐름에 문제가 없는지 확인해 볼 수 있다. 요즘 많이 나오는 조작책이나 팝업북의 경우 견본책은 필수 과정이라고 할 수 있다.

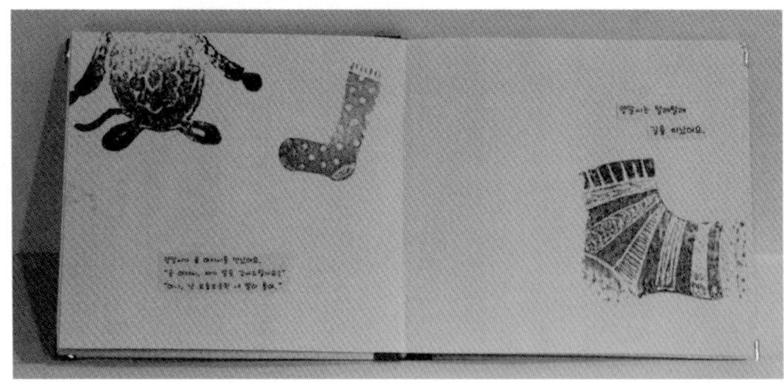

종이를 잘라 실로 묶는 방법도 있고, 각각의 종이를 풀로 붙여 만들 수도 있다. 어떠한 방법으로 만들든지 다음의 두 가지 사항을 검토해 보아야 한다. 첫째, 작가의 입장에서 자신이 생각한대로 그림책이 완성되었는지 보는 것이다. 둘째, 편집자 또는 독자의 입장에서 작가가 만들려는 그림책의 의도를 객관적으로 파악해 보는 것이다.

견본책을 만들 때에는 단지 장면 구성만 보는 것이 아니다. 그것은 스토리보드에서 충분히 확인했기 때문이다. 이제 자신의 원고를 그림과 함께 다시 한 번 꼼꼼하게 살펴보아야 한다. 견본책을 만들 때 주의 깊게 살펴보아야 할 내용은 다음과 같다.

✲ 자신이 만든 이야기가 영아책이면 10~12바닥(20~24페이지), 유아책이면 16바닥(32페이지) 형식에 맞는지 확인해 보아야 한다. 이것이 그림책을 만드는 기본적인 형식인데, 초보 작가라면 이 형식에 맞추어 써 보는 것이 좋다. 왜냐하면 현재 시중에 나온 그림책의 대부분이 이 형식을 따르고 있기 때문이다.
✲ 모든 장면에는 캐릭터의 행동이 드러나는 것이 좋다. 초보 작가들은 간혹 추상적인 이야기에 몰입하는 경우가 있는데 캐릭터의 생각조차도 행동으로 표현될 수 있음을 기억해야 한다. "토끼는 뭔가 해야겠다고 생각했어."라는 표현은 그림작가에게도 그림을 어떻게 그려야 할지 막막하고, 독자에게도 의미가 잘 전달되지 않는다. 하지만 "토끼는 두 주먹을 불끈 쥐고 벌떡 일어섰어."라는 표현은 그림을 그리기에도 쉽고 독자에게도 토끼의 강한 의지를 잘 전달해 주는 좋은 표현이다.
✲ 손톱그림에서 보았듯이, 그림이 단조롭지 않은지 책장을 넘기며 다시 한 번 확인해 보아야 한다.
✲ 첫 세 장면에 도입에서 갖추어야 할 내용이 모두 들어가 있는지 다시 한 번

확인해 보아야 한다.

✻ 각 장면마다 그림책을 넘기고 싶은 마음이 들게 구성했는지 확인해 보아야 한다. 이야기가 재미있는 반복으로 구성되어 있는가? 반복이 너무 짧거나 길지 않은가? 이야기가 점층적으로 고조되는가? 극적인 반전이 있는가? 이와 같은 구성이 없고 지루하게 느껴진다면 책의 구성을 다시 한 번 확인해 보아야 한다.

✻ 불필요한 말들이 있는지, 같은 어휘가 반복되고 있지 않는지, 그림에서 표현한 것을 글에서 다시 설명하고 있지 않는지 확인해 보아야 한다. 그림책은 꼭 필요한 말들로 간결하게 구성되어야 하기 때문이다.

✻ 도입과 중반부, 클라이맥스, 결말이 적당한 위치에 구성되어 있는지 확인해 보아야 한다. 이것이 공식은 아니지만, 되도록 다음과 같은 것을 염두에 두고 견본책을 검토해 보자. 도입은 첫 세 장면은 넘지 않아야 하고 중반부의 반복이나 흐름이 자연스러워야 하며, 클라이맥스는 13장면이나 14장면에 위치하고 있는지, 결말을 멋지게 마무리하고 있는지 다시 한 번 살펴보아야 한다.

✻ 앞과 같은 점들을 살펴보았다면, 견본책을 수정하여 다시 한 번 천천히 읽어 보자. 걸리는 부분, 미심쩍은 부분은 없는지 살펴본다. 자신이 이상하다고 느끼는 장면은 다른 사람에게도 이상하게 보인다는 것을 잊지 말아야 한다. 걸리는 부분이 없이 구성과 그림과 글이 조화롭다면 이제 기획서를 쓰고 자신의 그림책과 어울리는 출판사를 찾아보자.

11

독자의 요구를 어떻게 반영할 것인가

글을 쓰다 보면 자기 생각에 몰입하게 되어
어린이독자의 입장을 염두에 두지 못할 때가 있다.
어린이들의 의견을 반영하여 더 완성도 있는 책을 만들자.

11. 독자의 요구를 어떻게 반영할 것인가

그림책 원고를 완성한 뒤, 견본책을 만들어 독자에게 미리 읽어 주고 반응을 살펴보는 것은 매우 중요하다. 글을 쓰다 보면 자기 생각에 몰입하게 되어 어린이 독자의 입장을 염두에 두지 못할 때가 있다. 그림책은 작가만의 소유물이 아니라 독자와 상호작용하고 소통하는 매개체다. 따라서 작품을 완성한 후에는 어린이들에게 보여 주어 독자의 반응을 미리 확인해 보는 것이 좋다.

『냐옹이』(2008)도 출간하기 전에 견본책을 만들어 어린들의 반응을 살펴보았다. 출판사는 글과 채색된 그림이 앉혀진 견본책을 교사에게 보내 주었고, 교사는 어린이들에게 견본책을 읽어 주었다. 어린이들은 재미있는 부분이나 궁금한 내용 혹은 바꾸고 싶은 부분에 대해 자유롭게 이야기를 하였다. 어린이들은 그림책이 출간되는 데 자신들의 의견이 반영된다는 사실에 즐거워했고, 그래서 견본책에 대한 관심도 더 높았다. 교사는 어린이들의 반응과 다양한 의견을 기록하여 출판사에 보내 주었다. 출판사는 어린이들의 의견을 반영하여 더 완성도 있는 책으로 출간하였다. 출판사는 『냐옹이』에 다양한 의견을 주었던 어린이

11-1. 『냐옹이』(노석미 글 · 그림, 시공주니어, 2008). 고양이와 한 소년의 관계 맺기를 보여 주고 있다.

들에 대한 감사의 글을 넣어주었고, 어린이들은 그것을 보고 매우 기뻐하며 이 책에 대한 특별한 애정을 보였다.

『어처구니 이야기』(2006)와 『망태 할아버지가 온다』(2007)의 박연철 작가는 스토리 구상 단계에서부터 어린이들의 의견을 수렴한다. 또한 그림책을 쓰는 과정에서도 어린이집과 유치원에 가서 자신의 원고를 읽어 주고 수정을 하는 작가로 알려져 있다. 작가는 자신의 책에 도움을 준 유치원이나 어린이집의 이름을 명시해 주어 고마움을 표시하고 있다.

최근에는 점점 더 많은 작가들과 출판사가 책을 출간하기 전에 어린이들과 부모들의 반응을 본다. 수집된 의견은 출간하는 책에 반영하고 있으며, 이것은 이후 책의 판매를 예측할 수 있는 지표가 되기도 한다.

때로는 작가와 출판사 간에 이견이 있을 때에도 그림책의 주독자를 대상으로 반응을 본다. 『우웩』(2008)의 경우에는 그림책의 원고를 검토하고 수정하는 과정에서 작가의 생각과 출판사의 방향이 맞지 않는 부분이 있었다.

11-2. 『우웩』(유다정 글, 신숙 그림, 한우리북스, 2008). 여러 가지 소문 혹은 정보가 전달되는 방법을 재미있는 방식으로 소개하고 있다.

기획자나 작가의 의도와 달리, 출판사는 이야기의 전개 과정에서 조금 더 구체적이고 직접적인 표현을 원했다. 그래서 어린이들에게 견본책을 읽어 준 뒤 반응을 수집하여 내용을 수정하였다. 이처럼 어린이들의 반응은 작가와 출판사 간에 이견을 조율하는 데도 도움을 준다.

따라서 완성도 있는 그림책을 출간하기 원한다면 견본책 단계에서 독자의 반응을 반영하는 것이 바람직하다.

12

그림책 출판에 필요한 것은 무엇인가

기획서는 상품을 파는 상인이 자신의 상품을 광고하는 것처럼
작가가 쓴 작품이 얼마나 경쟁력을 갖추었는지 알려 주는 것이다.

기획서는 작품을 출판사에 보내고자 할 때 작성한다. 작품은 작가의 머릿속에서 나온 것이라서 작가 자신은 작품의 의도나 필요성에 대해 잘 알고 있지만, 출판사에서는 잘 이해하지 못할 수도 있다. 이때 필요한 것이 기획서다.

기획서는 상품을 파는 상인이 자신의 상품을 광고하는 것처럼 작가가 쓴 작품이 얼마나 경쟁력이 있는지 알려 주는 것이다. 기획서에는 작품의 의도와 방향이 무엇인지, 이 작품을 통해 기대하는 것이 무엇인지, 다른 작품과 어떠한 차별성이 있는지 명확하게 드러나야 한다. 또한 대상 연령과 장르 등 출판사가 필요로 하는 세세한 정보까지 빠짐없이 넣도록 한다. 이제 기획서를 쓰는 구체적인 방법을 알아보자.

1) 기획서 쓰기

좋은 기획서를 쓰려면 어떻게 해야 하는가? 구체적으로 어떠한 내용이 포함되어야 하는가? 정해진 표본이 있는 것은 아니지만 다음의 기획서를 참고한다면 기획서에 포함되어야 할 내용들을 쉽게 이해할 수 있을 것이다. 〈기획서 1〉은 육길나, 윤아해, 이진경, 장수금, 최경이 기획하고 원고를 쓴 『세상에서 가장 무서운 것은 누구?』(2011)의 그림책의 기획서이고, 〈기획서 2〉는 윤아해가 기획하고 원고를 쓴 『양치는 다윗 이야기』(2009) 시리즈물의 기획서다. 다음의 기획서들은 샘플 원고와 함께 출판사에 보냈으며, 편집자는 기획서와 원고를 보고 저자들의 기획의도와 원고의 방향을 쉽게 이해할 수 있었다고 한다.

기획서에서 중요한 것은 형식이 아니다. 들어가야 할 내용이 빠지지 않고 잘 들어가 있고, 누구든 보기 편하고 읽기 편하게 배열하는 것임을 기억하자.

기획서 1

제목: 대륙별로 알아보는 귀신 그림책

세상에서 가장 무서운 건 누구?

글: 육길나, 윤아해, 이진경, 장수금, 최경

연락처: 윤아해(010-0000-0000)

기획 의도	유아기 어린이는 지능발달과 더불어 이전에는 알지 못했던 사태의 잠정적 위험성을 알게 되기 때문에 무서워 하는 것이 많아집니다. 시각적인 것에 대한 두려움이 있어서 피부색이 다른 인종이나 주름살이 많은 노인, 캄캄한 곳의 동물들을 무서워합니다. 청각적인 것에 대한 두려움이 있어서 사이렌 소리를 무서워하기도 합니다. 나이가 들면서 차츰 무서워하는 대상이 감소하나, 상상력이 점차 발달하면서 도깨비, 유령, 귀신 등을 무서워하기도 합니다. 그러나 어린이들은 귀신에 대해 두려움을 갖는 동시에 호기심도 갖고 있습니다. 그것은 귀신이 단순히 무서운 대상이 아닌 상상놀이의 대상이 되기 때문입니다. **이러한 심리를 심리학적으로 분석해 보면 어린이들은 귀신 이야기를 많이 접하면서 두려운 대상에 대해 둔감화하는 과정을 거치는 것으로 볼 수 있습니다.** 이러한 **체계적 둔감화 과정**(systematic desensitization)은 행동주의 실험에서도 확인해 볼 수 있습니다. 막연한 공포와 두려

움의 대상을 반복적으로 접하여 확실하게 알게 되면 그 존재는 더 이상 두려운 존재가 아닌 것이지요. 이러한 이유 때문에 이 시기의 어린이를 대상으로 괴물이나 귀신책들이 인기를 끌고 있는 것입니다.

그러나 지금 시중에 나와 있는 귀신이나 괴물책들은 그림책보다는 문학성과 예술성이 현저하게 떨어지는 만화나 흥미 위주의 읽기 책이 대부분입니다. 이는 또래집단 사이에 유행처럼 번져 담력 테스트용 책처럼 사용되고 있습니다.

『세상에서 가장 무서운 건 누구?』를 기획한 이유는, 어린이들에게 흥미와 즐거움을 주는 책이 필요하다면 단순한 흥미 위주의 책보다 문학적이고, 예술적이며, 다양한 정보가 들어 있고, 재미도 있는 귀신책이 필요하다고 생각했기 때문입니다.

기획 의도

귀신이나 괴물은 어느 대륙, 어느 나라에나 있습니다. 귀신이나 괴물을 잘 살펴보면 그 나라의 정서와 문화를 담고 있습니다. 그 점에 매력을 느껴 저희들이 귀신과 괴물에 대해 연구하면서 알게 된 사실은 그들에게도 약점이 있다는 것입니다. 그러므로 당연히 물리칠 수 있는 방법들이 있겠지요.

21세기는 포스트 모더니즘의 영향으로 서로 다른 문화를 수용하고 인정하는 다문화를 지향하고 있습니다. 교육에서도, 어린이들이 보는 그림책에서도, 이러한 점을 강조하고 있는 추세입니다. 이에 발맞추어 저희가 기획한 그림책은 **그림의 배경이나 귀신의 복장, 앞면지와 뒷면지의 세계지도 속 귀신 등 다양한 장치를 통해서 각 나라의 문화적 특성을 반영하고자 노력하였습니다.**

또한 기존에 나와 있는 귀신 책에서처럼 스토리 전개에서 공포만을 자극하는 것이 아니라 **그림책 곳곳에 숨어 있는 유머를 통해 어린이들이 즐거움을 느끼고, 귀신도 결국은 실수하고 약점이 있다는 사실에 안도감을 느끼**

	도록 하였습니다. 어린이들은 이 책을 읽으면서 자신들과 같은 어린이가 귀신을 물리치는 결말을 통해 공포라는 정서를 이겨내고, 통쾌함을 느낄 수 있을 것입니다.
그림책의 특징	『세상에서 가장 무서운 건 누구?』는 다음과 같은 특징을 가지고 있습니다. 1. 공포의 대상이면서도 호기심의 대상인 귀신을 접해 봄으로써 공포를 극복할 수 있도록 구성하였습니다. 2. 스토리 전개에서 공포만을 자극하는 것이 아니라 그림책 곳곳에 숨어 있는 유머를 통하여 책을 읽는 내내 어린이들에게 즐거움을 주고자 하였습니다. 3. 그림이나 배경, 귀신의 복장, 앞면지와 뒷면지 등의 다양한 장치를 통해 각 나라의 문화적 특성을 반영하여 다문화 교육에 도움을 줄 수 있도록 구성하였습니다. 4. 주 텍스트 이외에도 다양한 정보의 형식, 팁과 말풍선 등을 사용하여 어린이들이 정보를 확장할 수 있도록 내용을 풍성하게 구성하였습니다. 5. 책을 읽는 어린이들이 동일시 할 수 있는 어린이를 주인공으로 하여, 무서운 것 같지만 약점이 있는 귀신들을 담대함과 재치, 용기를 가지고 모두 물리침으로써 정서적 안도감을 느낄 수 있도록 구성하였습니다.
대상 연령	7~9세
원고 분량	19바닥(면지 포함)
샘플 원고	뒷면에 첨부

기획서 2

제목: 성경개념책

양치는 다윗 이야기

기획: 윤아해

글: 윤아해

연락처 : 010-0000-0000

기획 의도

『양치는 다윗 이야기』는 성경에 나오는 다윗과 양들에 대해 쓴 영아용 개념 그림책입니다.

영아용 개념 그림책은 이 시기의 영아들에게 꼭 필요한 책이며, 출판사들도 다양한 형태의 개념 그림책을 기획 · 출간하고 있습니다. 그러나 단순한 개념도 중요하지만, 『양치는 다윗 이야기』에서는 성경의 인물을 더 친근하게 다가갈 수 있도록 구성하였습니다. 그리고 하나님이 우리를 얼마나 사랑하시는가에 중심을 두었습니다.

이 시기의 어린이들은 부모님의 상과 동시에 하나님의 상을 정립해 나갑니다. 하나님의 모습에는 여러 가지가 있지만, 그중에서도 하나님은 사랑이시라는 것을 영아들에게 심어 주고 싶었습니다. **많은 개념들도 하나님에게서 출발한 것이고, 그것이 세상의 조화이며, 하나님의 뜻이라는 것을 알게 해 주고 싶었습니다.**

이에 『양치는 다윗 이야기』 시리즈는 성경의 인물 다윗을 여러 그림책에 나오는 인물처럼 친근하게 다가갈 수 있도록 하여, 어린이들이 쉽게 동일시 할 수 있는 인물로 그렸습니다. 또한 여러 개념들 속에서 하나님이 만드신 조화로운 세상을 담아내어, 단순히 개념뿐 아니라 읽으면서 하나님의

	사랑을 가슴으로 느낄 수 있도록 구성해 보았습니다.
시리즈 각 권 구성	1. 반대 개념 그림책 『다윗이 양들을 돌봐요』 2. 위치 개념 그림책 『다윗이 양들을 찾아요』 3. 부분과 전체 개념 그림책 『다윗이 양들을 지켜요』
대상 연령	만 1~2세
원고 분량	보드북 10~12바닥, 20~24p
비교 도서	『하양이 시리즈』(한울림 출판사)
샘플 원고	뒷면에 첨부

2) 그림책 출판사 찾기

기획서를 쓴 후에는 출판사에 원고와 함께 기획서를 보여 주게 된다. 그러나 모든 출판사에 기획서를 보여 줄 수도 없을 뿐더러 그럴 필요도 없다. 출판사마다 자기만의 색깔이 있고, 출판사의 가치나 마케팅 노하우 등을 바탕으로 하여 주력으로 삼는 독자층이나 원고의 방향이 있다. 자신의 작품 색깔과 가장 적합한 출판사를 찾아 편집자와 연락을 하여 만날 약속을 잡고, 기획서와 원고, 손톱그림, 견본책 등을 보여 주어 자신의 기획 의도와 원고가 편집자에게 잘 전달되도록 설명한다. 초보 작가라면 이메일로 작품을 보내는 것보다는 되도록 찾아가서 설명하는 것이 좋다. 왜냐하면 이메일로 보낸 것은 편집자가 자세히 읽어 보지 않을 수도 있고 작품을 잘 이해하지 못할 수도 있다. 만약, 안면이 있는 편집자가 있다면 이메일로 기획서와 원고를 보내고 난 뒤, 반드시 전화 통화를 하여 자신의 기획 의도와 원고에 대해 자세히 설명하도록 한다.

3) 계약서 쓰기

자신의 작품을 출간하여 계약서를 쓴다는 것은 매우 기쁜 일이다. 그러나 계약서를 쓸 때는 계약 조항을 꼼꼼하게 잘 살펴보아야 한다. 계약서를 쓸 때 가장 중요한 것은 작품의 저작권에 대한 권리가 누구에게 있는지 그리고 저작권의 범위가 어디까지인지, 즉 예를 들면 이 책의 내용을 토대로 한 다른 컨텐츠를 포함하는 2차 저작물까지인지 아닌지, 또한 저작권의 권리가 몇 년 동안 지속되는 것인지 등을 살펴보는 것이 좋다. 계약서를 살펴본 뒤 궁금한 사항은 출판사에 바로 문의를 하여 조율하거나 협의하여 최대한 바람직한 방향으로 결정한다.

일반적으로 처음 책을 출간하는 경우에는 자신의 책이 세상에 나온다는 기쁨 때문에 계약서에 대해 의문 사항이 있어도 질문을 하지 않거나, 자신이 원하는 것을 정확하게 요구하기 어려운 경우가 많다. 하지만 첫 작품이 우연치 않게 수백만 권이 팔리는 베스트셀러 작품이 될 수도 있다. 그러므로 자신의 권리에 대해서 숙지하고 출판사와 충분히 협의를 하고 난 뒤 계약을 해야 한다.

1. 다음 빈 곳에 자신의 작품에 대한 기획서를 꼼꼼하게 작성해 본다.

〈기획서 연습〉

<table>
<tr><td colspan="2">제목:
기획:
글:
연락처:</td></tr>
<tr><td>기획 의도</td><td></td></tr>
<tr><td>그림책의 특징/
시리즈
각 권 구성</td><td></td></tr>
<tr><td>대상 연령</td><td></td></tr>
<tr><td>원고 분량</td><td></td></tr>
<tr><td>비교 도서</td><td></td></tr>
<tr><td>샘플 원고</td><td></td></tr>
</table>

13

그림책 출간 후 무엇을 할 것인가

작품을 쓰면서 겪었던 모든 일들은 하나도 버릴 것이 없다.
잘 정리하고 보관해 두면 한 작가의 산 역사가 된다.

1) 인터뷰와 강연하기

그림책을 출간하고 나면 두 가지 감정이 생길 수 있다. 그림과 글씨체, 디자인 등 그림책이 마음에 들게 출간되면 기쁜 마음으로 주변에 알리고 싶을 것이고, 그 반대의 경우라면 실망감을 감출 수 없을 것이다. 그러나 밉든지 곱든지 자신이 만든 그림책도 머리로 낳은 자식이라서 세상에서 사랑받기를 원한다. 그래서 누군가 그림책에 대해 좋지 않은 평을 하는 것을 들으면 마음이 아파서 변명하며 감싸주고 싶고, 좋은 평을 들으면 기분이 좋아지는 것이다. 인터넷 서점에 들어가서 서평도 읽고, 평점이 몇 점인지 확인도 하고, 판매지수를 들여다보는 등 관심을 갖게 된다.

독자들의 반응이 좋다면 신문사, 잡지, 포털 사이트, 그림책을 연구하는 학생들이나 단체 등에서 인터뷰 요청이 올지도 모른다. 또한 도서관이나 각종 단체에서 강연을 부탁할지도 모른다. 그렇다면 인터뷰와 강연을 어떻게 하는 것이 좋을까?

강연은 어린이가 대상인지, 학부모가 대상인지, 예비 작가들이 대상인지 혹은 그림책을 연구하는 사람들이 대상인지에 따라 내용이 달라질 수 있다.

인터뷰는 서면 인터뷰와 전화 인터뷰, 대면 인터뷰가 있다. 서면 인터뷰는 주로 이메일로 답을 하게 되는데, 물어보는 질문에 성실히 써서 답을 하면 된다. 전화 인터뷰나 대면 인터뷰의 경우, 처음 전화를 받으면 가슴이 떨릴 것이다. 강연과 인터뷰에 대한 선배 작가들의 경험을 들어보면 훨씬 더 잘 준비할 수 있을 것이다.

〈창비 좋은 어린이책 기획부문〉의 대상을 받았고, 『투발루에게 수영을 가르칠 걸 그랬어』(2008)가 환경부 추천도서가 되는 등 많은 작품 활동을 하고 있는 유다정 작가의 경우, 처음 인터뷰를 하기 전에는 무척 긴장되고 떨렸다고 한다. 그래서 인터뷰를 하기 전에 작품을 쓰게 된 계기를 다시 정리해 보고, 인터넷에 있는 다른 작가 인터뷰 내용을 검토하면서 마음의 준비를 하였다고 한다. 그러나 막상 인터뷰가 시작되자 마음이 편안해졌고, 묻는 질문에 성실하게 대답하면서 작업의 과정을 떠올리며 솔직하게 이야기를 이어나갔다고 한다. 유다정 작가는 강연을 하지 않는데, 그 이유에 대해 다음과 같이 말하고 있다.

> 강연을 하지 않는 이유는 여러 곳에서 강연 요청이 들어오는데, 다 갈 수도 없고, 어디는 가고 어디는 안 갈 수 없어서입니다. 또 강연을 많이 하게 되면 글쓰기에 방해가 되지 않을까 생각하게 되었습니다. 강연으로 돌아다니다 보면 강연 준비도 해야 하고, 오가는 길에 시간을 많이 뺏기게 되어 그만큼 글을 쓸 수 있는 시간이 줄어들게 되지요. 작가는 강연이 아니라 글로 말해야 한다고 생각합니다. 저는 강연하는 작가보다는 글 쓰는 작가가 되고 싶거든요. 그러나 혹시 작가가 되고자 하는 사람들이 있다면, 선배로서 그들이 작가의 길을 걸어가는 데 도움을 주는 일을 하고 싶습니다. 저 역시 누군가에게 도움을 받으며 작가로서 성장해 왔고, 제가 알고 있는 것이 있다면 후배들에게 도움을 주는 것이 당연하다고 생각합니다. 그게 여러 사람들 앞에서 강연하는 것보다 제게 더 보람 있고 어울리는 일인 것 같습니다.

『어처구니 이야기』(2006)로 〈황금도깨비상〉을 수상하고, 『망태 할아버지가 온다』(2007)로 2007년 〈볼로냐 국제 도서전〉 '올해의 일러스트레이터'로 선정된 박연철 작가는 처음에는 인터뷰를 거절했지만, 지금은 인터뷰와 강연도 열심히 하고 있고, 후배들의 작업 또한 열심히 돕고 있다. 초반에는 출판 과정을 처음 경험하는 것이라서 많은 시행착오를 거쳤다고 한다.

〈황금도깨비상〉을 받으며 출발한 것이라서 작품과 작가에 대한 보도 자료를 출판사측에서 알아서 만들어 주었으므로 자신이 특별히 할 일은 많지 않았다고 한다. 그러나 지금은 인터뷰에 성실하게 임하고 있고, 아주 작은 도서관부터 대학에서 초청하는 특강까지 자신이 작품을 만드는 과정을 진솔하게 들려주고 있다. 그리고 자신의 시간과 열정을 다해 아무런 대가도 없이 작가가 되고자 하는 후배들의 작업 과정을 돕고 있다.

『라이카는 말했다』(2007)와 『옛날에는 돼지들이 아주 똑똑했어요』(2007)로 〈한국안데르센그림자상〉을 심사위원 만장일치로 수상하며 등단한 이민희 작가는 처음 인터뷰 요청이 왔을 때 기분이 얼떨떨했다고 한다. 서면 인터뷰의 경우는 이메일로 질문이 와서 묻는 질문에 성실하게 답해 주어 그리 어려움이 없었으나, 전화 인터뷰와 대면 인터뷰의 경우에는 당황하여 횡설수설하였다고 한다. 그러나 나중에 기사가 나온 것을 보니 횡설수설한 가운데 핵심을 잘 뽑아 좋은 방향으로 실어 주어 다행이었다고 했다. 강연의 경우도 준비해 간 자료를 설명하는 것보다 작품과 작업에 대한 과정들을 이야기하는 것이 더 좋은 강연이 되었다고 말한다.

13-1. 『옛날에는 돼지들이 아주 똑똑했어요』(이민희 글 · 그림, 느림보, 2007). 옛날에는 돼지들이 아주 똑똑했는데 놀고 춤추는 걸 좋아하면서 그 일을 사람에게 시키면서 현재의 돼지들이 된다는 이야기다.

『꽃신』(2010)과 『달기의 흥겨운 하루』(2011)를 쓴 윤아해 작가는 유치원 어린이들이나 학부모, 도서관, 예비 작가들을 대상으로 강연을 나갔다고 한다. 어린이를 대상으로 강연을 할 때에는 어린이들에게 그림책을 읽어 주고, 그림책에 대해 이야기를 나누었다고 한다. 어린이들은 그림책에 대해 궁금한 것들을 물어보기도 하고, 작가에 대해 궁금한 것들을 물어보기도 하는데, 이때 진솔하게 대답하되 어린이의 눈높이에 맞는 어휘를 선택하여 대답하는 것이 중요하다고 말한다. 간혹 어린이가 이해하기 어려운 어휘가 있을 때에는 교사의 도움을 받아 설명할 수 있으므로 당황할 필요가 없다고 말한다. 학부모를 대상으로 강연을 할 때에는 학부모들이 그림책을 어떻게 읽어 주면 좋은지에 대해 궁금해하므로, 그림책을 읽어 줄 때 어떤 점을 강조해서 읽어 주면 좋은지, 책읽기 방법에 대해 중점을 둔다고 한다. 도서관에는 보다 다양한 계층이 모이므로 그림책을 만드는 과정과 그림책을 왜 기획하고 글을 쓰게 되었는지에 대한 이야기를 하였고, 예비 작가들을 위한 강연에서는 자신이 예비 작가일 때 느꼈던 좌절과 어려움 등을 이야기하며 용기를 주는 것에 중점을 둔다고 한다.

또한 윤아해 작가는 『달기의 흥겨운 하루』로 라디오 프로그램 '북 콘서트' 에도 출연한 바 있는데 대중매체의 출연도 작가의 비전, 작업의 과정을 이야기하는 데 있어서 다른 강연이나 인터뷰와 크게 다르지 않았다고 한다.

"작가는 작품으로 말한다."라는 말이 있다. 선배 작가들의 말을 들어보면 인터뷰도, 강연도 작품이 만들어지기까지의 과정을 진솔하게 말하는 시간이라고 정리할 수 있겠다. 경험보다 더 소중한 것은 없다. 작품을 쓰면서 겪었던 모든 일들은 하나도 버릴 것이 없다. 잘 정리하고 보관해 두면 한 작가의 산 역사가 되는 것이다.

2) 동인활동

당신이 그림책 작가라면 한 권만 출간하고 말 것이 아니기 때문에 다음 작품을 위해 노력해야 한다. 혼자 작업하는 것도 좋겠지만, 마음이 맞는 사람들끼리 모여 함께 작업을 하는 동인활동을 권해 주고 싶다. 동인활동이 도움이 되는 이유는 나태해지고 고립될 수 있는 환경에서 서로 격려해 주고, 작품이 나아갈 방향에 대해 이야기하고, 출판의 경향이나 그림책의 경향 등 서로가 알고 있는 정보를 교환할 수 있기 때문이다.

윤아해는 유다정, 보린과 동인활동을 통하여 사파리 출판사에서 2008년에 책을 출간하였고, 조작책의 형태로 재출간 준비 중인 영아책 시리즈를 기획하고 함께 원고를 썼다. 서로 추구하는 바가 비슷하였고, 각 사람이 담당하고 있는 역할이 잘 맞아 이성과 감성의 균형이라는 좋은 결과를 얻었다. 지금도 함께 모여 정보책 작업을 계속 이어가고 있다. 또한 '풀각시' 라는 동인활동을 통하여 『꾼장이 시리즈』(2008)를 함께 기획하여 출간하였고, 지금은 공동의 목표를 갖고 작업하지는 않으나, 각자의 작업을 격려하고 함께 나아가는 좋은 모임으로 발전하였다. '책놀이터' 는 그림책의 글과 그림을 함께 하는 동인들이 모여, 일 년 간 원고를 쓰고 그림 작업을 하여 책 한 권을 견본책으로 만들어 원화와 함께 전시하고 있다. 전시된 작품은 출판사 등에 알려져 출간을 하는 등 좋은 결과를 낳았다.

이 외에도 많은 동인들이 함께 모여 그림책과 자신의 원고에 대해 논의하고 있으며 더 나은 원고를 위해 머리를 맞대고 노력하고 있다.

동인활동을 권장하는 이유는 그림책이 일차적으로 작가와 독자가 소통하는 것이지만, 더 나아가 책과 관련된 많은 사람들이 그림책을 통해 소통하기 때문이다. 그러므로 작업의 과정도 작가뿐 아니라 그림 작가, 편집자, 어린이, 부모, 동료 작가들까지 소통하게 된다면 더 좋은 작품이 될 것이다.

3) 작업 공간

글은 머리로만 쓰는 것이 아니다. 창의적인 작품이라고 해서 어느 날 하늘에서 뚝 떨어지는 것이 아니기 때문이다. 공부와 마찬가지로 글쓰기도 오래 앉아서 얼마나 작품과 씨름하느냐에 따라 작품의 질이 달라질 수 있다. 그래서 작가가 되고자 하는 사람에게는 혼자 작업에 몰입할 수 있는 공간이 필요하다. 주변에 방해를 받지 않는 공간을 만들어 오로지 작업에 몰두할 수 있도록 해야 한다. 그러려면 생활 공간과 작업 공간을 분리하는 것이 좋다. 작업실을 만들면 가장 좋겠지만, 인세가 매달 들어오지 않는 상황에서 작업실 비용이 매달 나가는 것은 경제적으로 부담이 된다. 경제적으로 부담을 줄이면서 글을 쓸 수 있는 방법을 찾아보자.

조앤 롤링은 카페로 출근하여 글을 썼다고 한다. 몇몇 작가들은 노트북을 들고 카페로 출근하여 작업을 하는 사람들도 있다. 장소가 카페라서 그렇지 출근의 개념으로 받아들인다면 꾸준하게 글을 쓸 수 있기 때문이다.

어떤 작가들은 '셰어 오피스' 등 공간을 나누어 쓰는 방법으로 적은 비용을 들여 작업실을 확보하는 경우도 있다. 『뿔치』(2009)로 〈푸른문학상〉 대상을 받고 창비 아기책 『쿨쿨쿨 잠자요』(2010) 등을 출간한 작가 보린은 낯선 사무실에 책상 하나를 빌려 작품을 완성하였다고 한다.

13-2. 『쿨쿨쿨 잠자요』(보린 글, 백은희 그림, 창비, 2010). 아기가 상상에 빠져 놀다가 잠이 든다.

이미 책을 출간하고 등단한 작가 중에 집이나 일에서 떠나 글쓰기가 가능한 사람이라면 원주의 〈토지문화관 창작 집필실〉이나 〈연희 문학 창작촌〉을 추천하고 싶다. 독립된 공간에서 자신만의 시간을 갖고 작업에 몰두할 수 있으므로 많은 작가들이 애용하고 있는 곳이다.

4) 들을 만한 그림책 글쓰기 강좌

① 성균관대학교 그림책 전문가 과정: 그림책 글쓰기 강좌

이야기그림책창작과정과 정보그림책창작과정으로 나뉘며, 연 4회(2, 5, 8, 11월) 모집하고, 4월과 10월, 하계와 동계 방학에 8주간 수업을 진행한다.

제공되는 열 개의 강좌 중 여덟 개의 강좌를 수강하고, 소정의 시험을 치뤄 합격하면 성균관대학교 총장 명의의 '그림책 전문가 자격증'을 취득할 수 있다.

http://cafe.naver.com/picturebook1.cafe에 들어가면 더 자세한 정보를 얻을 수 있다.

② 어린이책작가교실: 정해왕 선생님이 가르치는 어린이책 글쓰기 강좌

연 2회(12월, 6월) 모집하여 1월과 7월에 개강하고, 15주간 수업을 진행한다.

졸업 후에는 동문들의 동아리 활동이 활성화되어 있어 관심 있는 분야에 집중하여 깊이 있게 공부할 수 있다.

* 서류전형 통과 후 면접시험 있음.

다음 카페 '어린이 책을 만드는 사람들'에 들어가면 자세한 정보를 얻을 수 있다.

③ 김서정 동화 아카데미 내 이상희 그림책 워크숍

수업은 11주간 진행되며, 워크숍을 진행하는 동안 자신의 그림책을 구상하고 견본책까지 만드는 것을 목표로 하고 있다. 정기적으로 강좌 개설일이 정해져 있지 않으나 글과 그림을 모두 할 수 있는 그림책 작가라면 도전해 보는 것이 좋다.

④ 영국 킹스턴 대학교 온라인 강좌

2년 과정으로 비교적 학비가 비싼 편이나, 유학을 가지 않고 국내에서 영국 킹스턴 대학교 교수의 강좌를 들으며 그림책 공부를 하고 싶은 사람들에게 추천한다. 킹스턴 대학교로 편입할 경우 들은 강좌들 중 일부를 학점으로 인정해 주고 있다.

그 외에도 강좌들이 있으나 워크숍 형태의 일회적인 강좌가 많고, 그림을 위주로 하는 그림책 강좌들이 많아 그림책의 글을 쓰고자 하는 작가에게 필요한 강좌는 그리 많지 않은 실정이다. 그러나 뜻이 있는 곳에 길이 있다고, 열심히 찾아보면 자신에게 꼭 맞는 강좌를 찾을 수 있을 것이다.

5) 기획 집단 활동

기획 집단에서 활동하기를 원한다면, (북에디터) 사이트에 구인/구직 부분을 확인하는 방법이 있다. 이곳은 출판사나 기획, 편집 등에 관심이 있는 사람들이 출판이나 편집에 대한 정보를 나누기도 하고, 기획 집단에서의 구인/구직 공고들을 볼 수 있다.

우리나라에서는 몇몇 기획 집단들이 있다. 그중에서 어린이책을 주로 기획하는 전문 기획실로는 '햇살과 나무꾼'을 들 수 있다. 구직 공고는 (북에디터)에 들어가면 볼 수 있고, 시험 등의 선발과정을 거쳐 원하는 사람들을 뽑는다. 햇살과 나무꾼은 집필팀과 기획팀으로 이루어져 있다. 기획팀에서는 시리즈물 등을 기획하고 원고의 방향을 정한다. 집필팀은 논픽션팀과 이야기책팀으로 나누어져 있으며, 기획팀에서 기획한 원고의 방향을 고려하여 여러 가지 정보를 모으는 일을 한다. 햇살과 나무꾼은 주로 아동물을 많이 하였으나, 2011년부터는 그림책 등도 기획하고 있다. 네이버 카페에 들어가면 햇살과 나무꾼의 여러 가지 활동에 대한 정보를 알 수 있다.

6) 작가 사인회

그림책 작가의 사인회는 그리 흔하지 않다. 하지만 출판사 주최로 서점에서 책을 사는 사람에게 해 주는 경우도 있고, 때로는 어린이를 대상으로 하는 교육기관에서 하는 경우도 있다. 예를 들어, 문예원(http://www.moonyewon.co.kr)과 같이 어린이들을 대상으로 하여 그림책(문학) 활동을 하는 곳에서 작가 사인회를 개최하기도 한다. 어른 책의 경우는 사인만 해 주면 되지만, 어린이 책의 경우는 작가와 어린이가 소통하는 시간이 마련되기도 한다. 작가는 자신의 책을 읽어 주거나 그 책을 어떻게 만들었는지 설명하는 시간을 갖기도 한다. 어린이들은 작가가 자신들에게 경험담을 들려주므로 재미있어 하고, 소중한 경험으로 생각한다. 작가들도 이런 기회를 통해 어린이들의 생각을 직접 들을 수 있으므로 매우 의미 있는 시간이 될 것이다.

책에 인쇄된 자신의 이름도, 사인을 해 주는 자신의 이름도 소중하게 만들고 싶다면 세상과 잘 소통할 수 있는 좋은 그림책을 만들자. 많이 고민하고, 진지하게 글쓰기에 임한다면 이름이 인쇄되거나 사인해 주는 것이 부끄럽지 않은 그림책 작가가 될 것이다. 당신이 쓴 책이 어린이들의 가슴에 오래 남는 그림책이 되기를 바라며 이 책을 마친다.

그림책 목록

1-1. 괴물들이 사는 나라 / 모리스 샌닥 글 · 그림, 강무홍 옮김 / 시공주니어 / 2002
1-2. 알도 / 존 버닝햄 글 · 그림, 이주령 옮김 / 시공주니어 / 1996
1-3. 셜리야, 목욕은 이제 그만! / 존 버닝햄 글 · 그림, 최리을 옮김 / 비룡소 / 2004

2-1. 빈집 탐험대 / 윤아해 · 최경 글, 혜경 그림 / 한우리북스 / 2008
2-2. 어처구니 이야기 / 박연철 글 · 그림 / 비룡소 / 2006
2-3. 꽃신 / 윤아해 글, 이선주 그림 / 사파리 / 2010
2-4. 아빠가 지켜 줄게 / 이혜영 글 · 그림 / 비룡소 / 2007
2-5. 누가 벽에 낙서한 거야? / 윤아해 · 최경 글, 이갑규 그림 / 한우리북스 / 2009

3-1. 왜요? / 린제이 캠프 글, 토니 로스 그림, 바리 옮김 / 베틀북 / 2002
3-2. 신기한 스쿨 버스: 태양계에서 길을 잃다 / 조애너 콜 글, 브루스 디건 그림, 이연수 옮김 / 비룡소 / 1999
3-3. 내가 아빠를 얼마나 사랑하는지 아세요? / 샘 맥브래트니 글, 아니타 제람 그림, 김서정 옮김 / 베틀북 / 1997
3-4. 엄마의 의자 / 베라 윌리엄스 글 · 그림, 최순희 옮김 / 시공주니어 / 1999

3-5. 꼬마 곰 코듀로이 / 돈 프리먼 글 · 그림, 조은수 옮김 / 비룡소 / 1996

3-6. 꽃을 좋아하는 소 페르디난드 / 먼로 리프 글, 로버트 로슨 그림, 정상숙 옮김 / 비룡소 / 1998

3-7. 슈렉! / 윌리엄 스타이그 글 · 그림, 조은수 옮김 / 비룡소 / 2001

3-8. 신기한 스쿨 버스: 허리케인에 휘말리다 / 조애너 콜 글, 브루스 디건 그림, 이강환 옮김 / 비룡소 / 1999

3-9. 달 사람 / 토미 웅거러 글 · 그림, 김정하 옮김 / 비룡소 / 1996

3-10. 알파벳 나무 / 레오 리오니 글 · 그림, 이명희 옮김 / 마루벌 / 2005

3-11. 치과 의사 드소토 선생님 / 윌리엄 스타이그 글 · 그림, 조은수 옮김 / 비룡소 / 1995

3-12. 용감한 아이린 / 윌리엄 스타이그 글 · 그림, 김서정 옮김 / 웅진주니어 / 2000

3-13. 검피 아저씨의 드라이브 / 존 버닝햄 글 · 그림, 이주령 옮김 / 시공주니어 / 1996

3-14. 검피 아저씨의 뱃놀이 / 존 버닝햄 글 · 그림, 이주령 옮김 / 시공주니어 / 1996

3-15. 동물원 / 이수지 글 · 그림 / 비룡소 / 2004

3-16. 엄마가 알을 낳았대! / 배빗 콜 글 · 그림, 고정아 옮김 / 보림 / 2003

4-1. 부러진 부리 / 너새니얼 래첸메이어 글, 로버트 잉펜 그림, 이상희 옮김 / 문학과지성사 / 2004

4-2. 빈터의 서커스 / 찰스 키핑 글 · 그림, 서애경 옮김 / 사계절 / 2005

4-3. 선인장 호텔 / 브렌다 기버슨 글, 메건 로이드 그림, 이명희 옮김 / 마루벌 / 1995

4-4. 곰아 / 호시노 미치오 글 · 사진 / 진선 / 2004

4-5. 벤의 트럼펫 / 레이첼 이사도라 글 · 그림, 이다희 옮김 / 비룡소 / 2006

4-6. 투발루에게 수영을 가르칠 걸 그랬어! /유다정 글, 박재현 그림 / 미래아이 / 2008

4-7. 망태 할아버지가 온다 / 박연철 글 · 그림 / 시공주니어 / 2007

4-8. 강아지가 태어났어요 / 조애너 콜 글, 제롬 웩슬러 사진, 이보라 옮김 / 비룡소 / 2000

4-9. 우리 할아버지 / 존 버닝햄 글 · 그림, 박상희 옮김 / 비룡소 / 1995

4-10. 그래, 책이야! / 레인 스미스 글 · 그림, 김경연 옮김 / 문학동네어린이 / 2011

4-11. 리디아의 정원 / 사라 스튜어트 글, 데이비드 스몰 그림, 이복희 옮김 / 시공주니어 / 1998

4-12. 야, 공이다! / 박영란 글, 김재숙 그림 / 한우리북스 / 2008

4-13. 곰 인형 오토 / 토미 웅거러 글 · 그림, 이현정 옮김 / 비룡소 / 2001

5-1. 쌍둥이 빌딩 사이를 걸어간 남자 / 모디캐이 저스타인 글 · 그림, 신형건 옮김 / 보물창고 / 2004
5-2. 눈물바다 / 서현 글 · 그림 / 사계절 / 2009
5-3. 네가 만약……. / 존 버닝햄 글 · 그림, 이상희 옮김 / 비룡소 / 2003
5-4. 내 멋대로 공주 / 배빗 콜 글 · 그림, 노은정 옮김 / 비룡소 / 2005
5-5. 석기 시대 천재 소년 우가 / 레이먼드 브릭스 글 · 그림, 미루 옮김 / 문학동네어린이 / 2003
5-6. 라이카는 말했다 / 이민희 글 · 그림 / 느림보 / 2007
5-7. 달기의 흥겨운 하루 / 윤아해 글, 정지윤 그림 / 창비 / 2011

6-1. 꽃신 / 윤아해 글, 이선주 그림 / 사파리 / 2010
6-2. 세상에서 가장 무서운 건 누구? / 육길나 · 윤아해 · 이진경 · 장수금 · 최경 글, 김진희 그림 / 한울림어린이 / 2011
6-3. 별이 되고 싶어 / 이민희 글 · 그림 / 창비 / 2008

7-1. 오늘은 좋은 날 / 케빈 헹크스 글 · 그림, 신윤조 옮김 / 마루벌 / 2011
7-2. 이상한 화요일 / 데이비드 위스너 글 · 그림 / 비룡소 / 2002
7-3. 일곱 마리 눈먼 생쥐 / 애드 영 글 · 그림, 최순희 옮김 / 시공주니어 / 1999
7-4. 타샤의 특별한 날 / 타샤 튜더 글 · 그림, 공경희 옮김 / 월북 / 2008
7-5. 올드 베어 / 케빈 헹크스 글 · 그림, 석승환 옮김 / 마루벌 / 2010
7-6. 말괄량이 기관차 치치 / 버지니아 리 버튼 글 · 그림, 홍연미 옮김 / 시공주니어 / 1995
7-7. 사윗감 찾아 나선 두더지 / 김향금 글, 이원영 그림 / 보림 / 1997
7-8. 고릴라 / 앤서니 브라운 글 · 그림, 장은수 옮김 / 비룡소 / 1998
7-9. 호호마녀와 낄낄마녀 / 스티븐 J. 시몬즈 글, 시드 무어 그림, 이은수 옮김 / 문학동네어린이 / 2002
7-10. 셜리야, 물가에 가지 마! / 존 버닝햄 글 · 그림, 이상희 옮김 / 비룡소 / 2003
7-11. 동물친구 ㄱ ㄴ ㄷ / 김경미 글 · 그림 / 웅진주니어 / 2006
7-12. 숫자야 어디 있니? / 윤아해 글, 혜경 그림 / 뜨인돌어린이 / 2009
7-13. 에리카 이야기 / 루스 반더 제 글, 로베르토 이노센티 그림, 차미례 옮김 / 마루벌 / 2011
7-14. 김밥 놀이 좋아 / 최순영 글, 조민경 그림 / 시공주니어 / 2007
7-15. 열두 띠 동물 까꿍놀이 / 최숙희 글 · 그림 / 보림 / 1998

7-16. 누구야? / 정순희 글 · 그림 / 창비 / 2005

7-17. 글자가 사라진다면 / 윤아해 · 육길나 · 김재숙 글, 혜경 그림, 공경희 옮김 / 뜨인돌어린이 / 2008

8-1. 부루퉁한 스핑키 / 윌리엄 스타이그 글 · 그림, 조은수 옮김 / 비룡소 / 1995

8-2. 지각대장 존 / 존 버닝햄 글 · 그림, 박상희 옮김 / 비룡소 / 1995

8-3. 모기는 왜 귓가에서 앵앵거릴까? / 버나 알디마 글, 리오 딜런 외 그림, 김서정 옮김 / 보림 / 2003

8-4. 하마는 엉뚱해 / 허은실 글, 윤정주 그림 / 웅진주니어 / 2004

8-5. 타조는 엄청나 / 조은수 글 · 그림 / 웅진주니어 / 2004

8-6. 똥은 참 대단해 / 허은미 글, 김병호 그림 / 웅진주니어 / 2004

8-7. 언제까지나 너를 사랑해 / 로버트 먼치 글 · 그림, 김숙 옮김 / 북뱅크 / 2000

8-8. 난 토마토 절대 안 먹어 / 로렌 차일드 글 · 그림, 조은수 옮김 / 국민서관 / 2001

8-9. 행복한 우리 가족 / 한성옥 글 · 그림 / 문학동네어린이 / 2006

8-10. 탁탁 톡톡 음매 젖소가 편지를 쓴대요 / 도린 크로닌 글, 베시 루윈 그림, 이상희 옮김 / 주니어랜덤 / 2001

8-11. 구름빵 / 백희나 글 · 그림 / 한솔수북 / 2004

9-1. 팥죽할멈과 호랑이 / 박윤규 글, 백희나 그림 / 시공주니어 / 2006

9-2. 어처구니 이야기 / 박연철 글 · 그림 / 비룡소 / 2006

9-3. 다윗이 양들을 돌봐요 / 윤아해 글, 장순녀 그림 / 생명의 말씀사 / 2009

11-1. 냐옹이 / 노석미 글 · 그림 / 시공주니어 / 2008

11-2. 우웩 / 유다정 글, 신숙 그림 / 한우리북스 / 2008

13-1. 옛날에는 돼지들이 아주 똑똑했어요 / 이민희 글 · 그림 / 느림보 / 2007

13-2. 쿨쿨쿨 잠자요 / 보린 글, 백은희 그림 / 창비 / 2010

저자 소개

현은자

미국 미시간 대학교에서 유아교육 전공으로 박사 학위를 받았고, 한국어린이문학교육학회 고문, 한국기독교유아교육학회 이사, 한국국립어린이청소년도서관 외국자료 추천위원으로 일하고 있다. 성균관대학교 생활과학연구소장을 역임하였고, 현재 성균관대학교에서 사회과학대학 아동 · 청소년학과 교수로 재직 중이다.

주요 저서

『세계그림책의 역사』『그림책과 예술교육』『그림책의 이해 1, 2』『내 아이가 꼭 읽어야 할 좋은 책』『그림책의 그림읽기』『기독교 세계관으로 아동문학보기』 외 다수

최 경

성균관대학교를 졸업하고, 동 대학원에서 아동문학 전공으로 석사 · 박사 학위를 받았다. 사랑가득 어린이집 교사와 (주)아이북랜드 연구개발팀 과장으로 재직하였으며, 한국 짐보리 연구개발팀, 상지창의성연구소, 성균관대학교 생활과학연구소에서 연구원으로 일을 하였다. 현재 송호대학교 유아교육과 교수로 재직 중이다.

주요 저서

『환상그림책으로의 여행』『독서치료의 실제』『독서치료』『발도르프 유아교육의 이론과 실제』『그림책과 예술교육』『누가 벽에 낙서한 거야?』『빈집 탐험대』『세상에서 가장 무서운 건 누구?』 외 다수

윤아해

성균관대학교 아동학과 박사과정에서 아동문학을 공부하였다. (주)동심에드피아, 아람출판사 등에서 유아문학 프로그램을 기획 · 연구 · 개발하였으며, 한우리 독서교육에서 유아독서 프로그램과 한우리 그림책 〈깨금발 시리즈〉를 기획하였다. 현재 성균관대학교 그림책 전문가 과정과 부천대학교에 출강하고 있으며, 서울특별시유아교육진흥원에서 부모교육 및 교사교육을 담당하고 있다.

주요 저서

『그림책과 예술교육』『정보책에서 길 찾기』『다윗이 양들을 돌봐요』『숫자야 어디 있니?』『꽃신』『세상에서 가장 무서운 건 누구?』『달기의 흥겨운 하루』 외 다수

즐거운 그림책 쓰기

-그림책 작가를 위한 창작입문서-

2012년 9월 10일 1판 1쇄 발행
2024년 1월 25일 1판 4쇄 발행

지은이 • 현은자 · 최 경 · 윤아해

펴낸이 • 김 진 환

펴낸곳 • (주) 학지사

04031 서울특별시 마포구 양화로 15길 20 마인드월드빌딩 5층

대표전화 • 02) 330-5114 팩스 • 02) 324-2345

등록번호 • 제313-2006-000265호

홈페이지 • http://www.hakjisa.co.kr
인스타그램 • https://www.instagram.com/hakjisabook

ISBN 978-89-6330-884-5 93370

정가 14,000원

저자와의 협약으로 인지는 생략합니다.
파본은 구입처에서 교환하여 드립니다.